Poul Knudsen

Traduit du danois par Marguerite Gay et Gerd de Mautort

Illustrations de Michel Gourlier

Quand
les feux
brûleront

© 1962 - Société Nouvelle des Éditions G.P., Paris

Ce livre, lauréat du concours du
MEILLEUR LIVRE POUR LA JEUNESSE
lancé en 1960 par les Éditions Gyldendal de Copenhague,
a été publié par les soins de cette maison
sous le titre original : VÆD DEMALET.

Printed in France

CHAPITRE PREMIER

Sur les hauteurs, au nord du ruisseau, la terre tremble. Des coups sourds semblent sortir d'une forge souterraine lorsque au milieu des pentes surgissent un cheval et son cavalier : un cheval sans selle, sans ventrière, sans étriers.

Le cavalier a entortillé la crinière de sa monture autour de ses doigts. D'un coup brusque il fait tourner le cheval et l'oblige à descendre vers la mer.

QUAND LES FEUX BRULERONT

Le vent siffle dans les poils de la bête, et quand, s'ébrouant, elle chasse l'air par ses naseaux, on dirait le bruit d'une grande voile qui capte le vent. Mais sa bouche est douce et grise comme de la poussière.

Aussi le cavalier appelle-t-il son cheval Ventgris. Lui s'appelle Odbjœrn.

Tous deux se sont arrêtés au bord des dunes. A leurs pieds, les vagues se brisent sur la grève et la couvrent d'embruns...

... Voici trois ans déjà, un navire s'est dirigé vers cette côte. Au lieu de pénétrer dans la baie et d'accoster le môle devant la maison de Harja Hugwa, il s'est échoué un peu plus au nord.

C'était à quelques jours du solstice d'été. Chacun était pris par les préparatifs de la fête, et personne ne vit les guerriers du navire porter leur chef à terre sur un brancard de peaux.

Miné par la fièvre, il avait les yeux fermés et la figure rouge.

Derrière lui, son fils Odbjœrn marchait la tête courbée. Ses lèvres étaient une ligne étroite et exsangue dans son visage livide.

Les hommes montèrent le long de la côte et traversèrent la rivière à gué. Ils déposèrent le brancard par terre, au milieu des bruyères. On y était à l'abri du vent.

— Crois-moi, Torvik, nous attendrions volontiers que tu viennes à bout du troll géant qui a empoisonné ton corps, mais...

C'était le nautonier, Ulver, qui parlait. Puis il se tut

pour écouter le grondement lointain des vagues derrière
la colline.

Le même jour, de grands bateaux étranges avaient
surgi de la brume.

C'étaient des galères, avec de hauts rostres à la proue
et trois rangées d'avirons. Le soleil matinal allumait des
flammes rouges sur les casques des guerriers qui arpen-
taient les ponts.

Les hommes de Torvik avaient sursauté, mais l'un
d'eux, Haerulf, avait dit que personne ne devait croire
que cette flotte eût été évoquée par enchantement ou par
sortilège.

QUAND LES FEUX BRULERONT

Les navires, faits de bois et de chevilles, venaient d'un pays où il y avait toujours du soleil et de la chaleur, où l'on ne connaissait ni le brouillard ni l'hiver. Haerulf ajouta que le pays en question était appelé le « Pays des Romains ».

Un jour, une nef romaine avait fait naufrage sur les côtes de la Frise. Elle était chargée de bijoux et de plats d'argent et de bronze, que les étrangers avaient troqués contre de l'ambre et des esclaves.

— De l'argent et du bronze, avait murmuré Ulver, le regard perdu dans le brouillard où les galères romaines avaient disparu.

Torvik savait qu'il ne pourrait pas retenir longtemps ses hommes à terre et il préféra leur donner lui-même l'ordre de le quitter.

— Partez, dit-il à contrecœur. Quand vous aurez acquis du butin, vous reviendrez.

Ulver se retourna et s'approcha d'Odbjœrn.

Le fils de Torvik, assis par terre, défaisait un grand ballot de fourrures.

— Odbjœrn, dit Ulver. C'est maintenant toi qui conduis le navire et deviens chef à la place de ton père.

— Si j'avais quelque chose à dire, aucun de vous ne retournerait sur mer avant que mon père pût y aller aussi, répondit Odbjœrn.

Il dénoua la dernière lanière et ouvrit le ballot, libérant un poulain d'une semaine, fruit d'un précédent pillage. Délivré de ses liens, l'animal tendit le cou et essaya de se lever. Odbjœrn le saisit sous son petit bout de queue et l'y aida.

QUAND LES FEUX BRULERONT

— Dans le bateau, chacun obéira à tes ordres, poursuivit Ulver. Mais personne ne peut exiger que nous restions oisifs sur la côte pendant qu'un butin aussi riche nous passe sous le nez.

Comme Odbjœrn ne répondait pas, il fit signe aux hommes. Ceux-ci tirèrent leurs épées et saluèrent Torvik, puis ils s'éloignèrent ensemble vers la mer. Arrivé au gué, Ulver se retourna.

— Torvik, cria-t-il. Avant la nouvelle lune...

Le vent lui arracha les mots de la bouche et les lança par bribes sur les pentes.

— Avant la nouvelle lune, cria-t-il. Si tout va bien.

Odbjœrn coucha le poulain et le couvrit avec des morceaux de fourrure. Ils étaient seuls maintenant.

Mais, peu de temps après, Ketil et Aslak revinrent. Les deux vieux apportaient un gigot de mouton enveloppé de peau. En se débarrassant de leur fardeau, ils se donnèrent grand mal pour montrer leur âge et leur décrépitude. Ketil surtout gémissait profondément et disait que ni lui ni son compagnon n'avaient plus la force de prendre la mer à bras-le-corps, et que si Torvik n'y voyait pas d'inconvénient, ils resteraient près de lui.

Torvik trouva qu'ils avaient vieilli bien vite. Il n'en dit pas davantage, mais un sourire joua derrière sa barbe.

Il envoya un des deux hommes dans un grand domaine, au sud des collines, pour y solliciter la permission de construire une hutte à l'abri du vent.

Aslak partit et revint sans tarder.

Le propriétaire du grand domaine, Harja Hugwa, avait répondu que celui qui demandait un toit n'était pas si grand personnage qu'il ne pût venir présenter lui-même sa requête.

Torvik fit un signe d'assentiment.

— Il a raison, murmura-t-il. Porte-moi jusqu'à sa porte.

Odbjœrn avait bondi et barré la route aux esclaves.

— Je ne le supporterai pas, cria-t-il.

Torvik l'avait regardé longuement :

— Nous sommes des hôtes et des étrangers ici. Crois-moi, Odbjœrn, cela me paraît dur, à moi aussi.

L'adolescent, ce jour-là, s'était juré de tirer vengeance de l'affront que Harja Hugwa avait fait à son père...

... Le regard d'Odbjœrn se perd sur cette mer qui, il y a trois ans, l'a ainsi jeté à terre, comme une épave. Sans famille et pauvre.

Un instant ses pensées s'envolent vers Groa, la fille de Hugwa. Il esquisse alors un sourire. Puis les images du passé reviennent...

... Harja Hugwa avait autorisé Torvik à construire une hutte. Il avait même envoyé une vieille esclave dans les collines, sans exiger son retour.

L'esclave s'appelait Tova. Elle couvrit de sangsues la poitrine de Torvik, espérant faire sortir la maladie. Du matin au soir, elle respirait sur lui et lui frottait les joues avec de la salive.

Pendant ce temps, Odbjœrn, Aslak et Ketil empilaient de la tourbe, et les murs de la cabane s'élevaient autour de la femme et du chef malade.

QUAND LES FEUX BRULERONT

Mais la hutte n'avait pas encore de toit lorsque Torvik mourut.

Odbjœrn serra les dents, traîna les pierres de la grève jusqu'à la colline de bruyère et s'en servit pour construire un cercueil. On ne l'entendit ni gémir ni se plaindre lorsqu'on enterra le mort.

Il descendit simplement dans la tombe, détacha le ceinturon de son père et se ceignit de l'épée. Le vieux Ketil eut une crispation du visage et un sanglot mi-étouffé sortit de sa barbe. Odbjœrn se retourna lentement et le fixa de ses yeux gris.

Pourtant, la même nuit, Tova trouva le jeune garçon couché contre le poulain, les bras autour du cou de l'animal, essayant tant bien que mal de cacher ses larmes...

... Trois années ont passé. Aujourd'hui, couché sur le dos de Ventgris, le visage enfoui dans les poils rêches de la crinière, Odbjœrn rêve de longs voyages et de pillages, loin de la demeure de Hugwa, où ses paroles n'ont aucun poids, car un homme sans famille ne compte pas plus qu'un esclave.

Et son rêve lui montre un Odbjœrn entrant dans la baie, debout à la proue d'un drakkar. Un Odbjœrn qui est l'égal de n'importe quel homme du domaine de Hugwa. Dans ce beau songe, le riche fermier a invité tout le monde à venir au sacrifice du solstice d'été, où aura lieu le mariage de sa fille Groa et du chef Odbjœrn. A l'aube grise, les gens s'acheminent vers la pierre sacrée qu'Odbjœrn rougit du sang d'un bélier tandis que Groa s'agenouille et répand une poignée de blé devant la statue de Frey...

... Mais le jeune garçon sait bien que tout cela n'est qu'un rêve et il ne peut s'empêcher de penser aussi à Thorkim, le fils de Hammund, qui a employé l'hiver à se construire un bateau et à embaucher un équipage. Dans peu de temps, Thorkim sortira de la baie sur son propre navire. Et comme Odbjœrn, il n'a que dix-huit printemps.

Les mains de l'adolescent se crispent comme des griffes dans les poils de Ventgris...

Thorkim, il le sait, vient souvent chez Hugwa. Et, certes, pas pour admirer la barbe du grand paysan. Les femmes rient et chuchotent au-dessus des métiers. Thorkim est allé demander la main de Groa. On dit même que le riche paysan s'est montré bien disposé à son égard.

En ce qui concerne Groa, Odbjœrn sait que la jeune fille nourrit de tendres sentiments à son égard et non pas à l'égard de Thorkim. Mais Groa et lui sont seuls à le savoir.

— Groa, murmure Odbjœrn.

Et le vent emporte ce nom que personne ne doit lui entendre prononcer.

Soudain, le garçon lève la tête.

Là-bas où le ciel et la mer se rencontrent, il vient d'apercevoir une tache noire. On dirait une mouche qui, après avoir franchi le bord de l'horizon, se reposerait au bas de la voûte céleste.

— Ulver! pense Odbjœrn. Ulver est de retour...

CHAPITRE II

ODBJŒRN fut terriblement déçu et dut faire effort
pour se dominer. Le navire n'était plus très loin
de la terre. Ce n'était pas Ulver, mais une galère romaine,
peut-être la même qui, l'année précédente, au milieu de
l'été, avait apporté des cruches de bronze doré, des tissus
multicolores et d'étranges coupes transparentes qui se
brisaient au moindre choc.

Odbjœrn galopa jusqu'à la pointe de la baie et vit le

bateau passer devant lui. Le nautonier se tenait sur un bizarre échafaudage qui occupait le milieu du vaisseau. La partie supérieure de son corps était couverte d'écailles de fer, serrées sur sa poitrine comme les plumes d'un oiseau. A la crête de son casque, un panache de crin noir s'agitait au vent.

L'étranger lança un ordre et Odbjœrn vit une grande croix de fer descendre de la proue dans l'eau.

De l'autre côté de la baie, tous les gens du domaine s'étaient réunis sur le rivage, Hugwa en tête.

La galère romaine tourna autour du câble de l'ancre. Odbjœrn eut juste le temps d'apercevoir Groa. Ses cheveux dorés tombaient comme de l'or fondu sur ses épaules. Puis elle disparut, masquée par le navire.

De retour chez lui, le garçon s'installa au fond de la hutte, dans un coin aussi sombre que son esprit tourmenté.

Tova vint l'y débusquer.

— As-tu vu le Romain? demanda-t-elle.

Odbjœrn ne répondit pas.

— Il est temps que tu te procures un manteau, Odbjœrn. L'hiver peut venir bientôt. Et nous manquons aussi de sel.

Elle ouvrit un sac de peau qu'elle avait été chercher au fenil et versa une dizaine de petits morceaux d'ambre dans sa main ridée. C'était tout ce qu'elle avait réussi à ramasser sur le rivage au cours des deux derniers étés.

— Tu pourras peut-être troquer cela contre de l'étoffe et du sel, dit-elle.

Mais Odbjœrn repoussa si brusquement sa main que

QUAND LES FEUX BRULERONT

les morceaux d'ambre volèrent sur le sol de terre battue.

— Je n'irai pas mendier avec ces miettes, cria-t-il.

Il sortit de la cabane, se jeta sur Ventgris et fonça vers le domaine.

La halle d'Hugwa était pleine de monde et les valets avaient fort à faire pour écarter les gens de la grande table où le Romain et ses esclaves déballaient des caisses et des tonneaux.

Odbjœrn se fraya un chemin jusqu'à cette table. Sur les planches frottées au sable s'amoncelaient des récipients de bronze, des tissus multicolores, des sacs de sel, des coupes, des bijoux.

QUAND LES FEUX BRULERONT

Aussitôt, Odbjœrn aperçut Groa.

Elle était penchée sur la grande table, à l'endroit où les anneaux d'or et les boucles d'argent étincelaient. De temps en temps, elle tendait le bras, effleurant du doigt ces merveilles.

Odbjœrn sentait la honte lui brûler les joues. Ses mains cherchèrent en tâtonnant sa ceinture de peau, semblable à celle où chez d'autres pendait une bourse de cuir. Mais elles ne rencontrèrent que le vide et, derrière ce vide, une tunique pleine de trous.

Thorkim était arrivé, suivi par quatre esclaves, qui ployaient sous des piles de cuir et des montagnes de fourrures. Planté au bout de la table, il troquait avec le Romain.

Il plongea la main dans la pile de tissus et jeta ce qui lui plaisait sur les bras d'un de ses serviteurs.

Le Romain le suivait en marquant sur une tablette enduite de cire chaque objet choisi. Ses petits yeux noirs allaient de tous côtés. Avec le style, il grattait de temps en temps ses cheveux courts ou passait sa main sur sa joue glabre.

Thorkim ne regardait pas le Romain et n'avait d'yeux que pour Groa.

Quand il parlait, ses paroles semblaient ne s'adresser qu'à elle.

Il souleva encore six sacs du plus beau sel, les laissa tomber à terre et risqua un regard du côté de la jeune fille pour voir si elle avait remarqué qu'un Hammund ne choisissait jamais les qualités inférieures.

Puis il voulut payer.

— Déballe, dit-il à l'un de ses esclaves.

Celui-ci ouvrit un sac de cuir empli de morceaux d'ambre gros comme le poing.

Un bref instant, le Romain laissa la lumière jouer sur cet ambre au ton d'or mat. Puis, après avoir lié le sac et l'avoir tendu à un de ses hommes, il alla devant les peaux de Thorkim et en compta quarante. Il n'en resta que trois.

Thorkim approuva d'un signe de tête et s'approcha de Groa.

— Une boucle te ferait elle plaisir? demanda-t-il

Elle sursauta et laissa tomber le bijou qu'elle tenait dans sa main. Thorkim le ramassa et le soupesa d'une main experte. C'était une belle boucle d'or d'un poids sérieux.

— Elle ornera ton épaule quand tu agraferas une cape autour de ton cou, dit-il. Veux-tu que je te l'offre?

Sans attendre la réponse, il se tourna vers le Romain.

— Est-ce suffisant? demanda-t-il en montrant les trois peaux.

Le Romain secoua la tête en riant.

— Un esclave?

— Un esclave, acquiesça le Romain, qui connaissait le mot.

— Rudin! appela Thorkim. Viens ici... Plus vite, hurla-t-il.

Et, d'un soufflet, il envoya l'homme rouler aux pieds du Romain.

Puis il se tourna vers Groa.

— Cet anneau est à toi, murmura-t-il en fermant sa main autour des doigts de la jeune fille.

Groa essaya d'imaginer combien ce bijou la parerait quand il serait sur son épaule et brillerait comme un soleil.

Soudain elle pâlit. A deux pas au plus, Odbjœrn la regardait fixement. Et jamais auparavant elle n'avait vu ses yeux si étroits, ni chargés de tant de colère.

Elle devint cramoisie.

— Non, dit-elle. Non...

Elle retira brusquement sa main. Le bijou tomba à terre et roula sous la longue table.

Un silence de mort plana dans la salle.

— Tu ne veux pas accepter le bijou que je t'offre?

La voix de Thorkim résonna fort dans le silence.

— Tes sentiments te font honneur, Thorkim, reconnut Groa. Mais je ne puis accepter ton cadeau.

— Pourquoi?

Groa repoussa les cheveux de sa joue mais ne répondit pas, car même les femmes du domaine n'auraient pas osé laisser certaines paroles franchir leurs lèvres, ne fût-ce qu'en un murmure.

Etait-il possible en effet que la fille du riche paysan pût nourrir de tendres sentiments pour Odbjœrn, ce gamin paresseux comme un esclave, qui n'avait pas de famille et habitait une hutte au milieu des bruyères?

A cet instant, on entendit un grand fracas du côté de la porte et Ventgris apparut.

Il y avait trop longtemps que le cheval était seul dans la cour à écouter le vent siffler dans ses fanons. D'une ruade, il avait défoncé le lourd vantail de bois pour rejoindre son maître.

Les gens s'écartèrent vivement pour laisser place au large poitrail de l'animal qui fonçait dans la salle, telle une proue.

Hugwa sursauta en entendant les coups de sabots. Il retourna son corps pesant et aperçut d'abord la porte démolie. Puis il vit Ventgris qui se tenait derrière Odbjœrn et cognait contre son maître comme un bélier. La rage parut suinter de la barbe du paysan et empourpra son visage.

— Puisse un méchant troll t'écraser les os! hurla-t-il.

Large et lourd, il s'avança vers Odbjœrn.

— Qu'est-ce qui te prend? Es-tu devenu fou furieux, garnement?

Les jambes écartées, Hugwa se planta devant le jeune homme.

— Il faudra fixer des limites à ton audace, cria-t-il. A quoi cela ressemble-t-il d'abattre le mur de ma maison et de faire entrer ton carcan dans ma salle? Te crois-tu chez toi où gens et bêtes mangent dans la même auge?

Odbjœrn ressentait tous les regards comme des piqûres d'aiguilles. Ses joues brûlaient de honte. Soudain, il se tourna vers Hugwa.

— Je vois que toi aussi tu as un cochon qui se promène dans ta salle, cria-t-il dédaigneusement en désignant Thorkim.

Au même instant, Thorkim dégaina et s'approcha lentement d'Odbjœrn. Ses lèvres minces s'étiraient en un ricanement de mépris. Il avait saisi l'épée par la lame à deux tranchants et la portait comme si c'eût été un poteau de clôture.

Mais Odbjœrn connaissait la vivacité de Thorkim. Soudain celui-ci lancerait son épée en l'air pour la saisir par la poignée et lui porter un coup mortel.

— Arrête! hurla Hugwa.

Mais Thorkim ne se laissa pas arrêter. Pas avant d'être à deux pas de son adversaire. Sa respiration était saccadée.

Alors Odbjœrn vit le signe sur le visage de Thorkim : un tressaillement presque imperceptible au coin de la bouche. L'épée tourbillonna en l'air. Et du coup...

Odbjœrn dégaina. Tel un fouet sifflant, sa lame rencontra celle de Thorkim à une largeur de main au-dessus de sa propre tête. Il fit un écart sous une pluie d'étincelles et se préparait à attaquer à son tour lorsque Hugwa, d'un seul moulinet de son épée, lui fit sauter l'arme des mains.

— Décampe! rugit Hugwa.

La salive qui jaillit de sa barbe alla toucher les joues d'Odbjœrn.

— Et tiens-toi à distance tant que tu n'apporteras que la discorde avec toi.

Le riche paysan avait levé la main pour un soufflet. Mais, en voyant les yeux du garçon, il renonça.

Odbjœrn pivota sur les talons. D'un bond, il sauta sur son cheval et le fit plusieurs fois tourner sur lui-même.

Des éclats de bois volèrent autour des sabots. Puis, dans un grondement de tonnerre, le garçon et la bête franchirent la porte au galop.

CHAPITRE III

Pendant quarante-huit heures, Odbjœrn, absorbé par
ses pensées, resta sans bouger dans un coin obscur au
haut du fenil.

Tova montait des plats et des cruches.

— Mange, suppliait-elle. Tu entends?

Elle n'obtenait aucune réponse.

Ketil et Aslak marchaient sur la pointe des pieds et
s'imposaient le silence.

QUAND LES FEUX BRULERONT

Il arrivait qu'Odbjœrn se laissât glisser du fenil sur le dos de Ventgris et montât la côte au galop. Mais le jeune homme ne se montrait pas au domaine, et personne ne le vit durant les jours qui suivirent la scène qui s'était déroulée dans la halle de Hugwa.

Ce jour-là, le jeune homme avait senti l'hostilité comme un mur autour de lui. Si seulement quelqu'un... — Groa... ou peut-être même Hugwa... — si seulement quelqu'un avait pris sa défense et s'était rangé à son côté, il se serait réconcilié avec Thorkim. Mais il était un étranger, un sans-famille dont l'amitié ne représentait aucune valeur.

Un jour on s'en repentirait. Le jour où il mettrait le cap sur la baie avec un navire rempli de rameurs et de guerriers...

Assis dans le fenil, Odbjœrn jura de se venger des gens du domaine.

Un matin, sa décision fut prise...

Il sauta sur son cheval et s'en alla trouver le Romain au moment où celui-ci regagnait son bateau.

Saisissant l'étranger par sa longue cape rouge :

— Emmène-moi quand tu partiras, murmura-t-il.

Sa voix était rauque et sa respiration saccadée. Le Romain recula d'un pas.

Odbjœrn sauta alors sur Ventgris et se mit à tourner à une folle allure autour de l'étranger. Tantôt son corps pendait sous le ventre du cheval, ses cheveux frôlant le sol ; tantôt il s'accrochait au cou de l'animal et se mettait debout sur son dos.

Il s'arrêta enfin et vint se placer face à l'étranger.

QUAND LES FEUX BRULERONT

— Emmène-moi, pria-t-il à nouveau en tendant le doigt vers la galère. Je suis adroit, je suis fort...

Mais l'homme, qui ne comprenait toujours pas ce que le garçon attendait de lui, se contenta de sourire, hocha la tête et tourna les talons.

Fou de rage, le garçon pensa un instant l'arrêter de son épée.

Puis, se rendant brusquement compte de sa folie, il baissa la tête et, suivi de Ventgris, regagna à pied sa cabane.

Sous le coup de cette déception, Odbjœrn ne put fermer l'œil de la nuit et se leva avec l'aube, bien décidé à tenter une nouvelle démarche auprès du Romain. S'il le fallait, il monterait même à bord de la galère et s'y cacherait. Une fois en mer...

Le temps s'était dérangé. Il pleuvait et le vent soufflait par violentes rafales.

Odbjœrn enfourcha Ventgris et galopa en direction de la baie.

Au sommet de la colline il s'arrêta, frissonnant de rage : la galère avait déjà levé l'ancre et s'éloignait de la terre.

Le garçon contempla longuement le bateau luttant contre la tempête. Un léger sourire vint bientôt animer ses lèvres.

Derrière la pointe, le ressac tonnait contre la falaise et Odbjœrn savait bien qu'aucun navire ne pouvait franchir les bancs de sable par ce temps-là.

Il descendit la colline à fond de train et rejoignit les gens du domaine de Hugwa qui, en compagnie de leur chef, suivaient avec intérêt la manœuvre du Romain.

La galère avait déjà passé les deux premiers bancs de sable sans accroc et nombreux étaient ceux qui pensaient que, malgré tout, les étrangers s'en tireraient.

Les vieux, par contre, penchaient de côté leurs visages ridés et prenaient des airs compétents.

— Aujourd'hui, personne ne passera les bancs extérieurs, dit l'un d'eux. Nous aurions dû les retenir, car ils vont à une mort certaine.

Hugwa foudroya l'homme du regard.

— Hjald! tonna-t-il. Veux-tu que ce Romain nous prenne pour un peuple efféminé craignant sa propre mer?

QUAND LES FEUX BRULERONT

Le vieux se tut et baissa la tête.

Odbjœrn s'était mêlé aux hommes de Hugwa, mais personne ne fit cas de sa présence.

Soudain le bateau disparut et il fallut bien convenir que ce n'était plus ni la pluie ni les crêtes des vagues qui le cachaient.

— Il a passé de l'autre côté de la presqu'île, cria un esclave.

Aussitôt tout le monde se transporta sur la pointe et constata que le navire tournait maintenant son flanc vers la terre. Njord s'était emparé de la galère romaine. Et quand Njord lançait un navire de côté par-dessus les bancs, aucune incantation magique ne pouvait plus le sauver.

Quelqu'un murmura que Thorkim était en train d'essayer de sortir son bateau de la baie pour venir en aide aux étrangers.

Précipitamment redescendus, les gens du domaine virent en effet Thorkim debout dans son bateau, l'aviron de gouverne serré sous le bras. Les hommes qu'il avait engagés au cours de l'hiver pour son grand voyage étaient déjà installés sur leurs bancs, les rames levées, les visages pâles et décidés. Thorkim tardait à lâcher l'aussière, car deux places aux avirons étaient encore vides.

— Quatre hommes de plus! cria-t-il. Il en faut quatre de plus!

Une demi-douzaine de volontaires se bousculèrent aussitôt pour arriver les premiers, lorsque apparurent six esclaves portant le père de Thorkim. Le vieux Hammund, paralysé des jambes, se faisait transporter ainsi au rivage pour voir le navire romain franchir les bancs de sable dans la diabolique tempête.

De son bateau, Thorkim parlait aux vieillards, comme on parle entre hommes. Il avait pris une décision et entendait s'y tenir. Hammund l'approuvait, fier de son fils.

— J'ai besoin de quatre autres rameurs, cria Thorkim.
Et Odbjœrn fut là.

Il parvint le premier à mettre le pied sur le plat-bord. Mais Thorkim lui frappa la poitrine avec l'aviron de gouverne, le faisant tomber à la renverse.

— Je peux me passer de toi, hurla-t-il. J'ai besoin d'hommes et non de gamins.

Un éclat de rire sonore salua ces paroles.

Odbjœrn se releva lentement. Le rouge de la honte avait coloré ses joues. Ses lèvres tremblaient légèrement. Il ne voyait que des visages ricanants autour de lui. Epaule contre épaule, les gens lui barraient la route...

... Trois fois Thorkim engagea la proue de son bateau dans le ressac, mais chaque fois les lames le repoussèrent dans la baie.

Ce ne fut qu'après un quatrième essai qu'il abandonna. Les mains des rameurs saignaient et le manche de l'aviron de gouverne avait écorché la poitrine du jeune homme.

Chacun avait fait son devoir et Thorkim recueillit louanges et hommages pour son héroïque tentative.

La galère avait dérivé assez loin vers le nord. A l'approche du soir, une lame géante la souleva et la jeta sur un banc de sable.

Trois fois les lames le repoussèrent dans la baie.

QUAND LES FEUX BRULERONT

Le navire resta dressé un bref instant avant de rouler sur le flanc et les gens du domaine s'attendaient à chaque instant à le voir se briser. Mais longtemps la galère subit l'assaut des vagues sans bouger du banc. Les lourdes lames élevaient leurs crêtes d'écume blanche au-dessus de la coque chavirée. Les avirons remuaient encore. Le bateau ressemblait à un gros insecte mourant qui cherche à se remettre sur ses pattes.

Au crépuscule, on alluma un feu sur le rivage et la tempête, en hurlant, emporta les flammes et les lança vers le ciel. Muets et figés, les gens du domaine se tenaient là sous la pluie et attendaient on ne sait trop quel miracle tandis que les vagues s'écrasaient contre le rivage avec un grondement sourd. L'eau bouillonnante semblait une écume de sang dans le cercle rouge projeté par le feu.

Soudain, il se produisit quelque chose...

Une vague géante s'était levée derrière la galère, une montagne liquide couronnée d'écume. Elle souleva le bateau et le fit passer par-dessus le banc de sable. Quelques instants plus tard, dans un craquement sinistre, les spectateurs virent le navire romain se dresser au milieu des tourbillons.

Quand l'eau redevint étale, la galère avait disparu.

A l'endroit même où elle venait de sombrer, Odbjœrn aperçut aussitôt un paquet sombre flottant sur la mer : un homme, sans doute.

N'écoutant que son courage, le jeune garçon enfonça les talons dans les flancs de Ventgris et obligea le cheval à se tourner face à la tempête.

— Viens donc... En avant! cria-t-il.

Et Ventgris avança.

Les naseaux dilatés, il descendit la falaise et passa comme un ouragan devant le feu, au milieu des gens du domaine.

Arrivé au bord de l'eau, le cheval planta ses sabots

dans le sable, fit un tour complet sur place et remonta la pente. Odbjœrn laissa l'animal courir à sa guise. Puis il tenta un nouvel essai, se jeta en avant et lui donna un coup sur la bouche.

— Viens donc, hurla-t-il. Viens donc...

Face au ressac, Ventgris s'arrêta. Odbjœrn le saisit par les oreilles et le fit entrer à reculons dans la mer. Les vagues atteignirent bientôt ses jarrets et le garçon tirait si fort sur les oreilles que la bouche du cheval pointait vers les nuages chassés par le vent...

... Ventgris avait perdu pied. Il avançait à la nage, ses naseaux émergeant au-dessus de l'eau.

Odbjœrn était tout près du paquet sombre lorsqu'une énorme lame dressa devant lui une véritable muraille liquide. Sous le déferlement, le garçon perdit le souffle. Sa bouche et sa gorge se remplirent d'eau. Il chercha en tâtonnant un point d'appui, attrapa une jambe du cheval et se hissa à la surface.

Au même instant, il tendit le bras et put saisir le Romain. Aussitôt il sentit deux mains vigoureuses se fermer autour de son cou et fut forcé de lâcher sa monture. Fou de peur, l'étranger se cramponnait à lui et l'entraînait. Odbjœrn dut lui assener plusieurs coups sur la tête pour le forcer à lâcher prise. Puis il le saisit par sa toge et s'accrocha à la crinière de Ventgris.

Ivre de fatigue, le garçon n'y voyait presque plus. Le reniflement du cheval lui semblait infiniment lointain. Le tonnerre du ressac n'était plus qu'un bruissement assourdi, exactement comme la nuit quand, couché dans la paille, il entendait gémir la mer. Il savait seulement qu'il tenait sous les bras quelque chose de grand et de lourd, qu'il ne devait lâcher à aucun prix.

Dès que Ventgris eut retrouvé le sol ferme, Odbjœrn passa une jambe par-dessus le dos de l'animal et tira le Romain derrière lui. Lentement, très lentement, le cheval sortit de la mer. Près du feu, il s'arrêta. L'eau coulait de son pelage laineux, dégouttait de ses fanons.

D'un seul mouvement, les gens du domaine se groupèrent autour d'Odbjœrn. Un peu plus loin se tenait Groa. Ses mains hésitaient à quitter son visage qu'elle avait couvert dans sa frayeur. Elle rejeta ses cheveux derrière ses épaules et sourit.

Epuisé, le jeune homme ne voyait rien. Il laissa le Romain évanoui glisser sur le sable, puis il sortit de la foule et franchit la falaise.

Couché dans la bruyère, le vieil Aslak avait suivi des yeux tout ce qui s'était passé au bord de l'eau. Sur ses jambes torses, il courut jusqu'à la hutte pour en faire le récit à son compagnon.

Lorsque leur maître fut de retour, Aslak prit Ventgris par la bouche et Ketil, intimidé, aida Odbjœrn à descendre du cheval.

— Odbjœrn! s'écria Tova en battant des mains et en se précipitant à sa rencontre.

— Tova..., murmura le garçon.

Il n'en dit pas plus. Ses jambes cédèrent et il s'écroula dans le foin, aux pieds de l'esclave.

CHAPITRE IV

L E Romain rejeta l'eau qu'il avait absorbée et l'on fit
sécher ses vêtements près du feu, dans la demeure
de Hugwa. Au bout de quelques jours, il eut recouvré
ses forces.

C'est alors qu'un phénomène étrange se produisit.
A peine rétabli, l'étranger se mit à décliner comme le fait
la lune lorsqu'elle vient d'atteindre sa plus belle rondeur.
La nuit, malgré les fourrures amassées autour de lui, le

QUAND LES FEUX BRULERONT

Romain grelottait si fort que ses voisins ne pouvaient dormir. Le jour, par contre, quand le soleil était haut dans le ciel, il allait de l'autre côté de la pointe et s'asseyait nu au bord du rivage. Ceux qui l'avaient guetté racontaient qu'il se versait de l'eau sur le corps et se grattait avec un morceau de métal. Chaque matin il rasait ses joues maigres et bien souvent il coupait ses cheveux noirs qui lui tombaient en mèches courtes sur le front.

Un curieux homme, ce Romain.

Un matin l'étranger monta jusqu'à la hutte d'Odbjœrn... Aslak et Ketil l'aperçurent à temps et se cachèrent dans le foin. Le Romain voulait remercier Odbjœrn de lui avoir sauvé la vie.

Pendant le mois qu'il venait de passer chez Hugwa, il avait écouté les conversations et appris la langue de ses hôtes.

Quand il demanda au jeune garçon s'il voulait l'accompagner et l'aider pendant son voyage de retour au pays des Romains, Odbjœrn n'osa en croire ses oreilles, tant cette proposition allait au-devant de ses vœux.

L'étranger dit que la route par terre était longue et dangereuse.

— Surtout à travers la sombre forêt des Germains, ajouta-t-il. Mais si nous réussissons à gagner le fleuve appelé Rhin, nous serons sauvés et je saurai te récompenser. Ma richesse et mon pouvoir dépassent de beaucoup ceux de Hugwa. Celui qui est riche, conclut-il en respirant profondément, peut acheter des centaines d'épées et des centaines de bras pour les brandir. La richesse signifie le pouvoir, et avec le pouvoir on récolte le bon vouloir des hommes.

Odbjœrn approuva d'un signe de tête. Ces paroles se gravèrent dans son esprit, telles les entailles faites dans le plat-bord des navires.

Une voie s'ouvrait brusquement devant lui. Pour le moment, cette voie allait vers le sud, à travers la forêt des Germains.

— Vous avez ma parole, répondit-il. Dans quelques jours, à la nouvelle lune, je serai prêt.

Tova était restée derrière la porte. Elle ne s'approcha qu'après le départ du Romain.

— Ses yeux sont noirs comme un puits sans fond, dit-elle. Ne te fie pas à ses paroles.

Mais, tout à sa joie, Odbjœrn poussa un cri strident, prit Tova par la taille et la fit pirouetter à lui donner le vertige.

Le lendemain, Odbjœrn se rendit chez Hugwa pour lui parler seul à seul.

— Eh bien..., cavalier de la mer, en quoi puis-je t'aider? lança le grand paysan en essuyant d'un revers de la main la mousse de bière qui poissait sa barbe.

— Je pars avec l'étranger, balbutia Odbjœrn.

Hugwa fit un signe de tête affirmatif.

— Et alors?

— Je mettrai peut-être des années à revenir.

Hugwa fit un nouveau signe.

— Aussi ai-je voulu te demander... si tu voulais bien considérer Groa comme ma fiancée jusqu'à mon retour.

QUAND LES FEUX BRULERONT

— Quoi? C'est une demande en mariage! rugit le paysan. Tu oses prétendre à Groa, garnement!

Odbjœrn se redressa et regarda Hugwa dans les yeux.

— Oui, répondit-il.

Hugwa resta longtemps les yeux fixés sur la lumière jaune qui filtrait par la lucarne de peau.

— C'est une action d'éclat que tu as accomplie l'autre jour au milieu du ressac, finit-il par reconnaître, mais crois-tu que je vais condamner ma fille à une vie d'esclave dans une hutte de bruyère?

— Non, répondit Odbjœrn, car à mon retour je construirai une maison de bois et un grenier à provisions... et aussi une brasserie et un grand vaisseau dans la baie...

— Je me rends compte que tu espères devenir un homme important à l'étranger, mon garçon. Mais je vais te décevoir. J'ai pour ainsi dire promis à Thorkim de lui donner Groa quand il reviendra de son voyage.

Le grand paysan se tut, et Odbjœrn entendit le sifflement du vent dans la lucarne.

Soudain, Hugwa se retourna.

— Ecoute-moi, dit-il... Monte à cheval et cours chez le prêtre du temple, Witulf..., et aussi chez Thorkim. Demande-leur de venir sur la plaine du ting...

Arrivé devant la statue de Frey, Hugwa tira sur les rênes de sa monture et s'arrêta. Thorkim vint se placer à son côté et se pencha pour lui dire quelques mots. Mais le vieillard ne répondit pas. Le dos rond, il restait tassé sur son cheval et son regard, vide de toute expression, parcourait la plaine.

QUAND LES FEUX BRULERONT

Odbjœrn montait Ventgris. Ses mains étaient moites de sueur. Il ignorait l'intention du grand paysan. A vrai dire, aucun des deux jeunes gens ne savait ce qui allait se passer.

Witulf arriva, sa longue cape noire claquant dans le vent comme les ailes d'un corbeau. Sa rosse était boiteuse à cause d'un éparvin...

Le prêtre était maintenant si près qu'on pouvait voir les stries de suie dans les rides profondes de ses joues, car Witulf était à la fois forgeron et prêtre du temple. Il récitait des conjurations au-dessus du métal en fusion, et quand la lame se figeait, la force du dieu Tyr était enfermée dans le fer.

— Witulf, dit Hugwa, je t'ai prié de venir pour que tu sois témoin de la promesse que je vais faire à Thorkim, le fils de Hammund, et à Odbjœrn, dont personne ne connaît la famille.

Hugwa tira sur les rênes de son cheval et s'avança de quelques pas.

— Odbjœrn et Thorkim, reprit-il, vous êtes venus me voir tous les deux pour me demander si vous pouviez prendre Groa pour femme. A aucun de vous je n'ai donné ma parole.

Il respira profondément et continua :

— Vous allez partir chacun de votre côté, pour essayer de récolter butin et victoires à l'étranger. Ecoutez donc bien ce que je jure maintenant devant les dieux et les hommes : à celui de vous qui reviendra avec la garde la plus nombreuse, à lui et à personne d'autre je donnerai Groa. A tous les deux j'accorde comme délai d'aujourd'hui au prochain sacrifice du printemps. Vous devrez être de retour avant cette fête, date à laquelle vous devrez vous présenter sur la plaine du ting avec les hommes qui vous auront juré fidélité. Les gens du domaine se réuniront ici, devant la statue de Frey, et le prêtre Witulf et moi mesurerons votre gloire et vos mérites au nombre d'hommes qui, dans les pays étrangers, se seront rangés sous vos ordres.

— Cette nuit-là, l'herbe de la plaine sera rouge de sang, gronda Thorkim entre ses dents.

Il approcha son cheval d'Odbjœrn, faisant reculer Ventgris.

— Cette nuit-là, le sang ne coulera pas, coupa le grand paysan. Pour éviter la bataille, toi, Thorkim, tu arriveras sur la plaine par mon domaine, tandis qu'Odbjœrn et sa garde arriveront du nord par les collines.

— Sa garde! ricana Thorkim. Odbjœrn se présentera avec les vieux Aslak et Ketil. Peut-être fera-t-il aussi venir l'esclave Tova.

Odbjœrn voulut saisir son épée. Hugwa s'interposa.

— Tenez-vous tranquilles! cria-t-il. Et rappelez-vous ce que je viens de dire. Quand les feux brûleront, nous nous retrouverons ici. Partez en paix.

Un court instant, les deux jeunes gens se dévisagèrent. Les joues d'Odbjœrn étaient cramoisies, celles de Thorkim livides. Mais leurs yeux avaient la même expression d'hostilité.

— Partez! ordonna Hugwa.

Et Thorkim fit bondir son cheval à travers la plaine.

CHAPITRE V

LE jour suivant, Odbjœrn descendit des collines et entra chez Hugwa. Dans le coin le plus sombre de la salle, il aperçut le Romain qui semblait perdu dans ses pensées.

— Me voici prêt à t'accompagner, dit le garçon. Si cela te convient, nous partirons demain matin vers le sud.

L'étranger prit Odbjœrn dans ses bras et le serra très fort contre lui.

QUAND LES FEUX BRULERONT

**

Le Romain n'eut plus un instant de repos. Hugwa l'envoya dans le grenier à provisions, où les esclaves l'aidèrent à empaqueter de la viande salée. Puis il se rendit aux écuries pour harnacher le cheval que le grand paysan lui avait donné.

La nuit était tombée et le vent qui passait entre les planches mal jointes faisait vaciller la flamme des torches.

— Par Jupiter, quel pays! jura le Romain en soufflant sur ses doigts pour les réchauffer.

Puis il se tut et se tint immobile un long moment.

« Curieux, pensa-t-il. Je suis sûr qu'il y a quelqu'un dans cette écurie, et pourtant, tout à l'heure, il n'y avait personne ». Par mesure de prudence, il tira son poignard hors du fourreau.

— Avec ces sauvages, murmura-t-il, on ne sait jamais...

... D'un bond, il se retourna. L'homme était devant lui et ne semblait pas nourrir de mauvaises intentions. Il montra ses mains vides. Ses lèvres minces s'écartèrent, découvrant de grandes dents.

— Thorkim! s'exclama le Romain.

Le jeune homme sourit.

— Tu pars avec Odbjœrn, dit-il en fourrant sa main sous sa tunique.

Le Romain fit un bond en arrière et dégaina à nouveau. Thorkim secoua la tête.

— Regarde, murmura-t-il en levant la main vers la torche.

Cette main tenait un morceau d'ambre. Et, dans la

matière dorée, le Romain aperçut une araignée et une mouche...

Un jour, il y avait des milliers d'années, cette araignée s'était approchée de la mouche qui se débattait dans les fils de sa toile. Au moment précis où elle tendait ses pattes vers la victime, une goutte de résine était tombée. Avec le temps, la résine était devenue de l'ambre.

Et dans cette pierre dorée l'araignée tendait toujours ses pattes vers la mouche. Ce morceau d'ambre valait son pesant d'or. Une fois taillé, ce serait un bijou de grand prix.

— Combien en demandes-tu?... gémit le Romain. Je n'ai rien à t'offrir...

Les doigts de Thorkim s'écartèrent à nouveau.

— Regarde, murmura le jeune homme. Tu as vu cette mouche et cette araignée? Eh bien, suppose maintenant que tu sois l'araignée et qu'Odbjœrn soit la mouche...

— Alors, quoi?

— Alors le morceau d'ambre serait à toi. Autrement dit, si tu t'arranges pour qu'Odbjœrn ne revienne jamais de ton pays, l'objet t'appartiendra, conclut Thorkim d'une voix pleine de haine.

Le Romain semblait ne pas avoir entendu. Ses yeux ne lâchaient pas le morceau d'ambre. Soudain il tendit la main :

— Oui, oui, donne-le-moi... Je te promets.

— Jure par Tyr.

— Par Jupiter, je le jure...

— Je ne connais pas ce dieu. Jure par Tyr.

Et le Romain, à contrecœur, jura par le dieu des

QUAND LES FEUX BRULERONT

Cimbres que le rival de Thorkim ne reviendrait jamais de son long voyage.

Près du bois sacré, Odbjœrn s'arrêta et mit pied à terre. Le vent soufflait dans les cimes des arbres, imitant le bruissement de la mer. Devant le fronton du temple se dressait l'effigie de Tyr. Odbjœrn s'immobilisa face à elle et contempla longuement son visage grimaçant.

C'était à ce dieu qu'il était venu faire un sacrifice sanglant, immoler, avant de partir, ce qu'il avait de plus cher.

Le cheval approcha sa bouche de la nuque de son maître. Un souffle chaud pénétra dans les cheveux du garçon, le faisant frémir de la tête aux pieds.

Odbjœrn sortit furtivement son épée et la tint serrée contre lui, de façon que Ventgris ne la vît pas.

— Pour la bonne fortune dans le monde inconnu, pour la force dans le bras, pour la victoire à la guerre, murmura-t-il.

D'un coup d'œil, il mesura la distance et leva son arme.

Les naseaux du cheval exploraient Tyr et soufflaient bruyamment sur le visage de bois. Ainsi tendu, le cou de l'animal serait facile à trancher. Ventgris aurait une mort rapide et ne se rendrait compte de rien. Odbjœrn tint son épée levée. Mais le sang se retira de son bras.

« Frappe ! » murmurait une voix intérieure.

Il ferma les yeux pour ne pas regarder le dos velouté de son compagnon. Mais, derrière ses paupières fermées, il revit le poulain Ventgris enveloppé de peaux et de fourrures.

46

QUAND LES FEUX BRULERONT

« Frappe, murmurait toujours la voix. Mais frappe donc!... »

— Non! hurla soudain Odbjœrn.

Son cri résonna longuement sous les arbres et le garçon sentit son épée lui glisser des mains.

Au même instant, le cheval hennit.

Odbjœrn sursauta. D'un bond, il enfourcha Ventgris.

— Tiens! cria-t-il. Il faut que tu te contentes de tout cela. Je ne te demande rien en retour.

Il jeta à la tête de Tyr une poignée de morceaux d'ambre, tandis que le cheval, d'une ruade, renversait la statue qui alla heurter la porte du temple avec fracas.

Tova ignorait que l'heure du grand départ était venue. Elle s'éveilla pourtant avec l'aube, l'esprit étrangement inquiet.

Soudain elle entendit des coups de sabots et vit une ombre noire se glisser vers la porte.

— Odbjœrn! appela-t-elle.

L'ombre s'arrêta et demeura immobile. Tova s'approcha.

— Où vas-tu de si bonne heure? demanda-t-elle d'un ton plaintif.

Ses doigts maigres se promenaient sur la poitrine du jeune garçon. Ils s'agrippaient au ceinturon et aux boutons de cuir, comme des crochets qui ne veulent pas lâcher prise.

— Je m'en vais avec le Romain.

— Non..., non, gémit-elle. Ne t'en va pas!

Et elle continuait à le retenir.

— Silence, Tova, ça ne sert à rien, répondit l'adolescent. Ici, je ne fais que gêner tout le monde et je suis la risée du moindre esclave.

— Qui ose te narguer? demanda Tova d'une voix menaçante.

— A mon retour, je ne supporterai ni dédain ni affront et les flammes de ton âtre brilleront avec l'éclat du soleil dans des centaines d'ustensiles de bronze doré.

Tout cela, Odbjœrn le jura au seuil de la hutte. La lune traçait des sillons d'ombre sur ses joues pâles.

Tova comprit que rien ne pourrait retenir le garçon et retourna dans l'obscurité de la cabane.

— Attends un peu..., cria-t-elle.

Il l'entendit remuer près de l'âtre. Puis elle revint, traînant un lourd paquet enveloppé de peaux.

— Voici des vivres pour les premiers jours, dit-elle simplement en attachant le ballot sur l'épaule du garçon.

Aslak gémissait dans le foin et remuait en dormant. Odbjœrn entrevit dans l'obscurité comme des taches de brouillard sur son visage.

— Dis aux vieux qu'à mon retour je les installerai dans une salle où le vent ne pénétrera pas, murmura-t-il.

Tova serra la tête du garçon contre sa joue ridée.

— Pourvu que tu reviennes, dit-elle à voix basse, en lui tripotant les cheveux. Tu me le promets?

Mais Odbjœrn ne pouvait rien promettre. Il s'arracha des bras de l'esclave.

Un instant plus tard, cheval et cavalier étaient engloutis par la brume marine, qui planait comme un voile lunaire au-dessus des collines.

CHAPITRE VI

Pᴇɴᴅᴀɴᴛ trois jours, Odbjœrn et le Romain Serbulus traversèrent le pays des Saxons. C'était un vaste océan de verdure où les buissons formaient les crêtes des lames. Comme rien ne leur barrait la vue, ils pouvaient contourner à temps les huttes et les lieux habités.

Marcus Serbulus avait fait de grands voyages et en savait long. Odbjœrn l'écoutait avec plaisir. Mais il lui semblait que son compagnon essayait de lui faire avaler bien des mensonges.

QUAND LES FEUX BRULERONT

Le Romain lui raconta qu'avant d'atteindre le Rhin ils devraient traverser deux grands cours d'eau, qui se jetaient tous les deux dans cette maudite mer des Germains où son navire avait sombré. Ces cours d'eau s'appelaient l'Elbe et la Weser. Ce dernier traversait les sombres forêts germaines, où vivait une tribu sauvage, les Chérusques.

— Allons-nous y rencontrer tes compatriotes ? demanda Odbjœrn.

— Oui. Dès que nous aurons traversé l'Elbe. Il y a des années que le grand chef d'armée César a conquis toute la Gaule derrière le Rhin. L'empereur Auguste a donné l'ordre a son général, Varus, de conduire nos troupes jusqu'à l'Elbe.

— Ton pays est grand, dit Odbjœrn en jetant un regard pénétrant sur le Romain.

— Grand ? s'écria Serbulus. Le divin empereur Auguste règne sur le monde entier, des pluvieuses forêts du Nord jusqu'aux déserts brûlants du Sud. Le soleil se lève et se couche dans son empire... Mais qu'y a-t-il ? Où vas-tu ?

Odbjœrn avait fait faire demi-tour à son cheval.

— Si ton pays est si grand, tu ne risques nullement de t'égarer, grogna-t-il entre ses dents. Il n'y a aucune raison pour que je t'accompagne.

Le Romain dut user beaucoup de salive pour persuader Odbjœrn qu'il n'avait pas eu l'intention de le tromper.

Plus tard, Serbulus eut la maladresse de raconter qu'à Rome on construisait de très hautes maisons, dans lesquelles il y avait autant de pièces qu'il y a de cellules dans

Ils traversèrent le pays des Saxons.

une ruche, des pièces aussi grandes que la hutte du garçon, et que trois cents personnes pouvaient y loger.

— Es-tu sûr que c'est trois cents ? demanda Odbjœrn en ralentissant.

Le Romain le regarda de travers.

— Il se peut que j'aie mal compté, répondit-il.

Le soir suivant, avant de s'endormir, Odbjœrn demanda si le chemin menant au pays des Romains était encore long. Il avait regardé la pâle faucille de la lune et avait fait seize nœuds sur une corde. Chaque fois qu'il verrait la lune ronde et brillante dans le ciel, il déferait un nœud.

De cette façon, il pourrait se rendre compte du temps qui s'écoulerait.

— Le chemin est long, murmura Serbulus, à moitié endormi. Il faut d'abord descendre le Rhin..., puis traverser les Alpes...

— Les Alpes ? s'étonna Odbjœrn. Qu'est-ce que c'est ?

— Ce sont des montagnes, dit le Romain en bâillant.

Sa voix était pâteuse, mais Odbjœrn le poussa du coude.

— Et qu'est-ce qu'une montagne ? demanda-t-il d'un ton fâché.

— C'est..., eh bien, c'est la terre qui se lève en l'air et monte vers le ciel.

Serbulus entendit un bruissement dans les buissons. Il bondit sur ses pieds, tout à fait réveillé.

Odbjœrn se dirigeait déjà vers les chevaux. Il courut après lui et lui saisit le bras.

— Par Jupiter, je jure que tout ce que je viens de dire est vrai. Les montagnes sont des pierres et des rochers qui s'élèvent si haut que tu dois renverser la nuque en arrière si tu veux en voir le sommet.

Le lendemain, la bouche du Romain resta close. Quand Odbjœrn essayait de le faire parler, il se contentait de hausser les épaules.

Vers la fin de la journée, ils arrivèrent à l'Elbe. Ils mirent pied à terre et descendirent le long du cours d'eau pour trouver un gué. Mais ce fleuve, large et paresseux, coulait entre des berges assez basses, et le calme même de son courant leur fit comprendre qu'il était partout d'égale profondeur.

Le Romain fut d'avis qu'il fallait se donner le temps d'abattre des arbres et de construire un radeau. Mais Odbjœrn répondit qu'il n'avait pas l'intention d'abattre des arbres avec des couteaux et des épées.

— Les chevaux nous transporteront de l'autre côté à la nage, dit-il.

Serbulus mesura des yeux la largeur du fleuve.

— Le courant est plus fort que tu ne penses, marmotta-t-il.

Ils firent demi-tour pour aller chercher leurs montures. Ce fut à ce moment qu'ils virent les cavaliers...

Ceux-ci, ayant décrit un cercle autour des chevaux d'Odbjœrn et de Serbulus, étaient apparemment si occupés par les deux animaux sans maîtres qu'ils n'avaient pas encore aperçu leurs propriétaires. Odbjœrn et le Romain se hâtèrent de descendre au bas de la berge.

— Que faire maintenant? gémit Serbulus.

— Sans chevaux nous ne pourrons traverser, murmura Odbjœrn.

54

QUAND LES FEUX BRULERONT

Il leva la tête et suivit des yeux les guerriers. La plupart étaient armés de longues lances. Ils portaient des casques de cuir étroitement ajustés qui cachaient leurs cheveux. Odbjœrn remarqua qu'ils paraissaient en désaccord sur un point quelconque. De temps en temps, ils indiquaient du doigt la rivière.

— Dans un instant, ils commenceront à nous chercher, souffla-t-il.

— Ne te plains pas, gémit Serbulus ; tu es venu de ton plein gré.

— M'as-tu entendu me plaindre? demanda Odbjœrn en rampant vers lui. Puis il chuchota : Je vais essayer d'attraper les chevaux. Mets-toi derrière ce buisson pour que je sache où te trouver. Et tiens-toi prêt, je pense que notre départ devra être rapide.

Le garçon escalada la berge et se dirigea vers les étrangers.

Lorsque ceux-ci l'aperçurent, ils firent tourner leurs montures et s'avancèrent à sa rencontre.

Odbjœrn s'arrêta et siffla. On aurait dit le cri plaintif que le pluvier lance du rivage à travers le fracas du ressac. C'était un signal auquel Ventgris avait l'habitude d'obéir.

Une certaine agitation apparut aussitôt dans le groupe des cavaliers. Une flèche frôla l'oreille du garçon. Au même instant, il vit un poitrail gris qui se frayait un chemin entre les autres chevaux et qu'on essayait vainement d'arrêter.

— Viens donc, cria-t-il. Viens donc!...

Il fit demi-tour et se mit à courir.

Au moment même où il croyait sentir la pointe d'une

lance dans son dos, Odbjœrn vit la bouche de Ventgris au-dessus de son épaule. S'aidant de la crinière, il sauta alors sur le dos du cheval qui, lancé au triple galop, se mit à décrire un large demi-cercle sur la prairie.

La poursuite aussitôt s'engagea.

Ventgris semblait à bout de forces. Son corps était parcouru de frissons. A chaque instant, il encensait de la tête, comme s'il avait été sur le point de s'écrouler.

« Si cela continue ainsi, pensa le garçon, je suis un homme mort. »

Il changea de direction et piqua droit sur le fleuve et le buisson derrière lequel le Romain s'était caché. Le chemin serait plus court de la sorte mais présentait le désavantage de diminuer singulièrement la distance qui le séparait de ses poursuivants.

Il se pencha sur l'encolure de Ventgris pour l'exciter de la voix.

Cette position lui permit de découvrir rapidement ce qu'avait le cheval. On lui avait mis une entrave autour des pattes antérieures. Il l'avait brisée en partie mais un morceau de cuir gênait encore ses mouvements.

« S'il doit descendre la berge en courant avec cette lanière, pensa encore le jeune garçon, il fera une chute et ce sera la fin du Romain Serbulus. La mienne aussi. Notre voyage s'arrêtera au bord de l'Elbe, sur la frontière qui sépare le royaume saxon de celui des Lombards. »

Le fleuve approchait. Le fleuve et le buisson.

— Serbulus, cria-t-il. Saute dans la rivière!

La tête du Romain surgit du buisson et disparut aussitôt. Au même instant, une flèche passa entre les oreilles de Ventgris et s'accrocha à sa crinière, comme une épingle à cheveux.

Jouant le tout pour le tout, Odbjœrn, au risque de se fracasser le crâne, se laissa alors glisser sous le ventre de sa monture, prit son couteau et chercha en tâtonnant la lanière.

Ventgris était tout près de la berge... Deux..., trois bonds encore... Le garçon finit par attraper l'entrave et la trancha. Il était temps.

Ventgris ne courait plus, il planait dans les airs, emportant Odbjœrn toujours accroché à son flanc.

Le jeune homme entrevit Serbulus, debout dans l'eau.

Les sabots du cheval claquèrent contre la vase mouillée, puis ce fut le choc et le fleuve se referma au-dessus de la tête d'Odbjœrn.

Quand il remonta, il vit la main brune du Romain dans la crinière de Ventgris.

— Surtout, ne lâche pas! cria-t-il.

— Je n'ai pas d'autre idée en tête, rugit Serbulus.

De la rive, les guerriers suivaient leur lutte contre le courant. Ils avaient mis leurs arcs sur leurs épaules, n'ayant pas envie de perdre leurs flèches.

Derrière eux, sur la berge, Odbjœrn aperçut le cheval de son compagnon. Et il se rappela avec amertume que c'était lui qui transportait la totalité des vivres.

CHAPITRE VII

Ils traversèrent le pays des Lombards, sans vivres et avec un seul cheval, qu'ils montaient à tour de rôle. Quand Serbulus était assis sur le dos de Ventgris, il parlait avec volubilité. Maintenant qu'ils avaient l'Elbe et d'immenses étendues derrière eux, il ne craignait plus que son compagnon fît demi-tour. Odbjœrn serait forcé d'entendre la vérité sur l'empire romain.

Serbulus lui raconta que l'armée de son pays avait assujetti les tribus du monde entier. Il expliqua qu'elle était divisée en centuries, manipules et cohortes qui, réunis, formaient une légion de près de six mille hommes, fortement cimentés par une discipline de fer.

Puis il parla de lance-pierres et de catapultes, de béliers et de tours de siège.

Quand c'était Odbjœrn qui chevauchait, Serbulus se taisait, ayant assez à faire pour suivre la marche. La faim lui tordait les entrailles, il était pris de vertige et devait se cramponner à la crinière du cheval.

Les deux voyageurs changeaient de nouveau. Et Serbulus se mettait à parler du souverain mondial César Auguste et de Rome, la ville aux sept collines. Et de colonnes épaisses comme des troncs de chênes, de temples dont chacun aurait pu contenir trois salles aussi grandes que celle de Hugwa..., de routes militaires pavées, qui s'étendaient jusqu'au bout du monde.

Odbjœrn, qui n'avait jamais connu de telles merveilles, en était effrayé.

Depuis quatre jours ils se dirigeaient vers le sud. Ils avaient traversé deux cours d'eau, dont le Romain ignorait le nom.

Serbulus ne parlait plus. Odbjœrn devait le secouer pour le réveiller lorsqu'il voulait tirer de lui des indications sur le chemin à suivre. Il sentait que le Romain ne pourrait résister très longtemps au manque de nourriture. Quant à lui-même..., ses yeux étaient voilés d'un brouillard rouge derrière lequel les arbres rares tanguaient comme les mâts d'un navire. Il avait des brûlures d'estomac et sa bouche se remplissait d'eau.

QUAND LES FEUX BRULERONT

Depuis quatre jours ils ne vivaient que de grains de seigle sauvage, d'écorces et de feuilles.

— Le moment est venu où même la viande salée des Nordiques me ferait plaisir! eut encore le courage de plaisanter Serbulus.

Un matin, le ventre toujours aussi creux, Odbjœrn vit l'horizon se couvrir d'un étrange nuage bleu foncé.

— C'est la forêt des Germains, murmura Serbulus. Les Chérusques habitent quelque part au cœur de ces contrées désertes. On dit qu'un Chérusque ne saurait vivre sans entendre l'éternelle chanson du vent dans les arbres. S'il quitte sa forêt, il s'étiole et meurt.

Le Romain semblait parler en dormant.

— Une fois, quand j'étais plus jeune, je suis entré dans ces forêts avec quatre esclaves, dit-il d'une voix faible..., pour obtenir par le troc des peaux chez ces barbares. J'accompagnais une patrouille romaine. Nous avons traversé le Rhin et pénétré sous bois. Nous y sommes restés quarante jours sans rencontrer âme qui vive. Je me souviens encore du tambourinement des lourdes gouttes de pluie contre les marmites de bronze suspendues aux épaules de mes serviteurs... et du crépitement des feuilles mortes sous nos pieds... et aussi de l'éternelle complainte du vent dans les cimes... Ce bruit a failli me rendre fou.

Tant de paroles semblaient avoir fatigué Serbulus. Il lâcha soudain le cheval et glissa sur le sol. Le garçon se pencha sur lui.

— Qu'as-tu?

QUAND LES FEUX BRULERONT

— Ce bruit, je ne l'entendrai plus jamais, gémit le Romain. Je suis à bout de forces. Quand je serai mort, tu peux faire demi-tour et rentrer chez toi. J'ai quelque chose que tu pourras emporter comme prix de ton aide.

Serbulus mit la main sous sa toge et voulut détacher le sac contenant le morceau d'ambre. Mais Odbjœrn ne lui en laissa pas le temps.

— Bah! s'écria-t-il, je suis parti pour gagner richesses et puissance dans la ville aux sept collines. Il faut que tu me montres le chemin.

L'idée d'être arrivé jusqu'aux forêts germaines semblait lui donner de nouvelles forces. Non sans peine, il réussit à hisser le Romain sur le dos du cheval. Après l'y avoir bien attaché, il saisit la crinière de Ventgris.

— Allons, allons! cria-t-il.

Odbjœrn s'attendait à voir la forêt se dresser devant lui comme un mur, mais le chemin passait par des étendues de broussailles et de landes marécageuses. Cependant, à mesure qu'il avançait en maintenant avec peine son équilibre sur les mottes d'herbe, la forêt grandissait autour de lui.

Soudain il s'arrêta.

Entre les troncs se dressait un mur de rocher nu. Odbjœrn ouvrit de grands yeux ronds. Quel spectacle! Jamais il n'avait vu de pierre aussi grande.

S'étant retourné, il s'aperçut que le sentier qu'ils avaient suivi était loin au-dessous d'eux. Etait-ce si étrange d'être fatigué, lorsqu'on avait grimpé à mi-chemin du ciel? Stupéfait, le garçon regarda la vallée.

Serbulus avait donc eu raison en lui parlant des mon-

tagnes. Soudain il entendit un bruit sourd et un gémissement derrière lui.

Le Romain avait glissé du cheval. Il se plaignait,
étendu par terre. Quand Odbjœrn s'agenouilla à côté de
lui, il perdit de nouveau connaissance. Le jeune homme
l'empoigna et le secoua fortement pour le faire revenir
à lui.

— Serbulus, cria-t-il, je vois les montagnes!

Le Romain ouvrit un œil et lui lança un regard dédaigneux.

— Les montagnes! ricana-t-il entre ses dents. Des collines. Rien de plus. Ah! si tu voyais des montagnes!

Puis il se lamenta :

— Moi, je ne les reverrai pas, les montagnes blanches

autour des lacs verts, telles des émeraudes serties dans de l'argent. Les nobles bijoux de mon beau pays. Je serai mort de faim auparavant.

Odbjœrn eut pitié de lui et se mit à chercher une nourriture quelconque. Il trouva des faines et des glands. Quand il se leva pour partir, Serbulus, soudain, l'arrêta d'un geste.

— Qu'y a-t-il? s'inquiéta le garçon. Que regardes-tu? Il saisit le Romain par sa toge et le secoua.

— Ecoute! murmura Serbulus d'une voix rauque. Ecoute le buccin!

— Le buccin?

Odbjœrn fronça les sourcils.

— Le buccin est la corne qui aboie lorsque l'armée romaine passe à l'attaque. Nous sommes sauvés... Nous sommes sauvés... Ecoute!

Odbjœrn écouta. Derrière le bruissement des cimes, il entendit un bruit qu'il connaissait.

— Il se peut que tu aies raison, dit-il, car je ne connais pas la corne dont tu parles. Mais pour moi, cela semble être un hennissement de cheval.

— Non! C'est le buccin, cria Serbulus.

Et il avança en boitillant.

Odbjœrn le suivit.

Tous deux s'arrêtèrent près d'une clairière et, stupéfaits, se regardèrent.

— Protège-moi contre les nuages et la double vue, balbutia le garçon en serrant le bras de son compagnon. Mes yeux ne me trompent-ils pas? Y en a-t-il un ou plusieurs? Et sont-ils tous blancs?

63

— Oui, oui..., ils sont nombreux et tous blancs, murmura le Romain d'une voix rauque.

Au haut d'une prairie en pente, un rocher rouge à pic jetait une ombre noire sur la clairière où broutait un troupeau d'étalons blancs. C'était cette vision qui laissait Odbjœrn bouche bée.

— Ils appartiennent à un escadron de la cavalerie romaine, dit Serbulus. J'avais raison. Vois la marque qu'ils portent sur la croupe. Nous ne devons plus être loin de Vetera.

Serbulus ne s'était trompé qu'en partie. La ville-garnison était encore à trois jours de marche, mais les chevaux appartenaient bien à un détachement de l'armée romaine.

Envoyés en reconnaissance par le général Varus, auquel l'empereur avait donné mission d'assujettir les tribus chérusques qui hantaient les forêts d'alentour, les cavaliers avaient dressé leur camp tout près de la clairière où paissaient leurs chevaux.

Alertés par les sentinelles postées dans les arbres, ils accoururent aussitôt et recueillirent les deux voyageurs exténués.

Serbulus et Odbjœrn passèrent dans cet avant-poste quatre jours entiers. Le matin du cinquième jour, Serbulus, qui avait réussi à obtenir un nouveau cheval et qui, bien nourri, avait retrouvé toute sa faconde, donna le signal du départ.

Soixante-douze heures plus tard, les deux voyageurs se trouvaient en vue de Vetera.

CHAPITRE VIII

LE large fleuve brillant et lisse serpentait à travers la plaine et disparaissait dans le lointain comme une trace de limaçon. Le camp romain de Vetera, avec ses murs crénelés et ses tours de pierre carrées, se dressait sur l'autre rive. Autour des remparts, les maisons grises d'une ville avaient poussé comme des champignons sur une souche.

Ils aperçurent une tour de bois et un large débarcadère

65

près de la rive. Serbulus monta dans cette tour et y fixa un bâton avec un chiffon rouge. Un instant plus tard, ils virent un chaland à large proue sortir de la ville et se diriger vers eux...

Ils attachèrent les chevaux dans le hangar du bateau et convinrent avec le passeur de les lui laisser en gage pour le prix du transport, que Serbulus promit de payer plus tard. Le patron se gratta la barbe et les suivit des yeux lorsqu'ils s'éloignèrent.

Ils étaient vêtus comme des Barbares, mais un des deux avait parlé clairement et nettement comme un vrai Romain.

La mort dans l'âme, Odbjœrn dut se séparer de Vent-gris.

— Beaucoup de légionnaires romains ont pris femme parmi les jeunes Gauloises, dit Serbulus. Puis ils ont eu la permission de construire en dehors des remparts. Peu à peu, la ville a grandi.

Il se tut un instant, tout en se frayant un chemin à travers la foule.

— Ce n'est pas du marbre, grommela-t-il en montrant les maisons, mais c'est tout de même de la pierre.

La patience du Romain était mise à une rude épreuve. A chaque instant, Odbjœrn, bouche bée, restait en arrière, et Serbulus devait revenir sur ses pas pour le presser.

La dernière fois que le jeune homme s'arrêta, ce fut sous de lourdes poutres qui soutenaient une façade. On aurait dit une proue de navire se frayant un chemin à travers la rue étroite. Sous la proue pendait une enseigne où l'on pouvait lire ces mots : *Le Rostre doré*.

Serbulus sourit.

— Entrons! dit-il.

Les murs de la taverne étaient revêtus de planches comme la cabine d'une galère. Mais elle ressemblait surtout à un énorme tonneau. Un tonneau rempli de cris et d'appels, de cliquetis d'armes et de gobelets. Au fond de ce tonneau, des soldats, le buste penché sur des tables rondes, jouaient aux dés. Serbulus prit Odbjœrn par le bras et le conduisit à une place vide.

— Du vin, cria-t-il. Une bonne cruche de falerne. Deux cruches pendant que nous y sommes.

Et Odbjœrn but du vin de Falerne dans un gobelet transparent, pareil à celui que le grand paysan Hugwa avait chez lui sur un rayon. Le liquide étincelait comme un soleil. Le goût en était d'abord acide, puis doux. Le jeune homme avait des picotements au bout des doigts et ses joues étaient brûlantes.

— Tu te plais ici? hurla Serbulus.

— J'ai la nostalgie de l'endroit où je suis maintenant, dit en riant Odbjœrn, qui déraisonnait.

Serbulus but trois cruches de vin sans arriver à trouver le calme. Après s'être tourné et retourné sur son banc, il finit par se lever.

— Attends-moi, dit-il. Je reviendrai quand je me serai procuré de l'argent pour payer le passeur. Reste assis à cette table... Comme ça, je pourrai te retrouver.

Il rit nerveusement. Puis il se dirigea vers la porte et disparut.

QUAND LES FEUX BRULERONT

Le temps passait et Serbulus ne revenait pas. En sortant pour regarder ce qui se passait, Odbjœrn constata qu'il n'y avait plus tant de monde dans la rue.

Au même instant, il entendit le buccin aboyer derrière le rempart de la forteresse, et, quand il rentra dans la taverne, les soldats romains s'apprêtaient à partir. Peu à peu le *Rostre doré* fut à moitié vide.

Un casque tomba, heurta une chaise et roula bruyamment sur le plancher.

Soudain Odbjœrn entendit une voix basse et rauque derrière lui :

— Dépêche-toi de te sauver, murmurait-elle.

Il se retourna. Il y avait là deux légionnaires. L'un avait posé le pied sur une chaise et attachait sa jambière ; l'autre, le dos tourné, attendait son camarade. Lequel l'avait mis en garde ? Et pourquoi ?

Le garçon jeta un regard autour de lui. Près de la porte, il aperçut deux hommes d'aspect louche, vêtus de pourpoints de cuir et de capes brunes. Ils se frayèrent passage entre les tables et s'assirent tout près de lui. L'un des deux, un blond au visage maigre, commanda des saucisses et du vin. L'autre, un gaillard à la peau brune, resta figé, le regard vide et ses bras gros comme des cuisses étendus sur la table.

Le blond mordait dans les saucisses avec des gencives édentées. Quand Odbjœrn se leva, il arrêta sa mastication avec un petit bruit sec.

Arrivé à la porte, le garçon se retourna et vit que les deux hommes s'étaient levés et le suivaient.

... La nuit était tombée pendant qu'il attendait Serbulus et la rue disparaissait entre les façades nues des maisons. Il courut d'abord, mais un brouillard blanc l'enveloppa bientôt.

« Cette brume vient du fleuve, pensa-t-il. Il faut que je gagne le Rhin! »

Il s'arrêta et tendit l'oreille. Des pas lourds résonnèrent derrière lui. Puis ce fut le silence.

Il tourna sur place et s'aperçut avec horreur qu'il était complètement désorienté. D'où venait-il? De quel côté se trouvait le fleuve?

Il tourna au hasard dans une ruelle et avança en tâtonnant. Puis, apercevant un **trou** sombre au milieu d'un mur gris, il sortit son épée et, à reculons, entra dans cet étroit couloir.

A l'instant même il fut saisi par-derrière. Deux bras musclés se fermèrent sur sa poitrine, le serrant comme un étau. Une main garnie de fer lui souleva le menton et il eut du mal à respirer. Une ombre sortit de l'obscurité.

— Arrête! Tu l'étouffes, dit une voix zézayante. Que va dire Armilius, crois-tu, si nous lui apportons un cadavre?

La prise se détendit. Odbjœrn haleta et sentit l'air frais de la nuit pénétrer dans sa gorge...

Le garçon était couché dans une petite pièce obscure. Assez près de lui, il y avait une porte entrouverte par où filtraient un peu de lumière et un bruit de voix.

L'une d'elles avait un timbre curieux. Elle se fêlait à chaque instant. On aurait dit une épée ébréchée qu'on tirait d'un fourreau rouillé.

QUAND LES FEUX BRULERONT

— Tu as dit un Cimbre? demanda cette voix.

— Oui ; en tout cas, je l'ai rencontré sur la presqu'île cimbrique.

Odbjœrn reconnut la voix de Serbulus.

— Quel âge crois-tu qu'il ait?

— Environ dix-huit ans. Il ne le sait pas lui-même.

— Soit, j'écris dix-huit.

Les voix se turent un instant. Puis vint celle du marchand d'esclaves.

— Ce garçon a-t-il des dons particuliers?

— Il s'y connaît en chevaux.

— Tout le monde sait mater un cheval, grogna Armilius.

— Les uns mieux que les autres. Celui-ci est parmi les meilleurs cavaliers que j'aie jamais vus.

— Bien, bien, je t'en donne douze cents sesterces.

— Seulement douze cents? Il est grand et fort.

— Douze cents, c'est beaucoup. Beaucoup trop. Je ne te les offre que parce qu'Auguste a cessé de faire la guerre. Les prix montent d'une façon désespérante, piaula Armilius. Que vaut un Ethiopien noir, crois-tu?

— Je m'en moque. Donne-m'en quinze cents, pleura Serbulus.

— Douze cents, ou tu peux le remmener.

Odbjœrn entendit plusieurs pièces de monnaie rouler sur le plancher.

— Ramasse-les ou laisse-les là, cria Armilius.

Soudain la porte s'ouvrit, et une torche fumante s'approcha dans l'obscurité, puis s'arrêta au-dessus de la tête du garçon. Lorsqu'il ouvrit les yeux, Serbulus était penché sur lui. Le flambeau projetait des ombres noires dans les orbites du Romain.

— Je t'ai vendu, murmura Serbulus. Tu es esclave maintenant.

Odbjœrn inclina la tête.

— Tu es le plus fort, tu peux faire ce que tu veux, répondit-il. Voilà ce que tu m'as appris.

Les yeux du jeune Cimbre étaient froids et vides. Il n'y avait en eux aucune haine. Serbulus vit qu'ils n'étaient plus en état de discerner entre le bien et le mal. Il eut un frisson et détourna son regard.

Il allait sortir, mais s'arrêta brusquement.

— Tiens, dit-il.

Un objet roula sur le plancher et vint heurter Odbjœrn qui, après l'avoir pris dans sa main, constata qu'il s'agissait d'un morceau d'ambre.

— Je l'ai reçu de celui que vous appelez Thorkim, dit le Romain. En échange, je devais veiller à ce que tu ne retournes jamais dans ton pays. J'ai tenu ma promesse, mais cet ambre me brûle les doigts et je n'en veux pas. Prends-le... Si personne ne te l'enlève, tu pourras le vendre... Bonne chance, murmura-t-il encore.

Et il sortit sans se retourner...

Cette nuit-là, une lune ronde et brillante fit pleuvoir des écailles d'argent sur les flots du Rhin.

Il y aurait bientôt deux mois qu'Odbjœrn avait quitté le domaine de Hugwa en compagnie du Romain.

CHAPITRE IX

QUINZE jours après que Serbulus eut vendu Odbjœrn,
Armilius fit enchaîner les esclaves. Puis, encadrés
par une vingtaine d'argousins armés de fouets, les longues colonnes ainsi formées sortirent de Vetera.

Le marchand d'esclaves était parti devant pour pré-
parer le logement de sa troupe.

Celle-ci descendait vers le sud. Tel un monstre à cent
pattes, elle serpentait le long du Rhin. Des chemins aux

pierres de taille bien plates alternaient avec des chemins
pavés de troncs d'arbres...

Trois jours après leur départ, les esclaves arrivèrent à
la colonie romaine de Confluentes. Ils passèrent la nuit
derrière les remparts de la forteresse, le centurion ayant
mis à la disposition d'Armilius les cachots du camp.

De bonne heure le lendemain matin, on leur fit traverser le Rhin à l'endroit où les eaux de la Moselle s'y
jettent.

Puis, pendant des jours et des nuits, ils se traînèrent
vers l'est sur une route qui longeait un remblai de terre
et une palissade de troncs pointus. La route et le remblai
serpentaient sans fin, montant et descendant les collines,
puis disparaissaient comme un fil mince à l'horizon. Et
Odbjœrn comprit que l'empire romain était plus puissant que Serbulus n'avait pu le lui faire comprendre.

Un matin, ils quittèrent le mur frontalier et se dirigè-
rent vers le sud. Et à partir de ce moment jusqu'au jour
où ils atteignirent les Alpes, les esclaves n'eurent aucun
ravitaillement.

Certains moururent de faim, et la rumeur se propagea
à voix basse qu'Armilius les avait loués aux gens de la
montagne. Avant de traverser les Alpes, ils devraient
gagner leur nourriture en peinant dur dans les salines
celtes.

La rumeur avait dit vrai.

Pendant plus d'une lunaison ils travaillèrent dans les
mines. Environ quarante jours qui ne furent qu'une
longue nuit.

QUAND LES FEUX BRULERONT

Quand Odbjœrn était couché dans les galeries suin-
tantes d'humidité, jetant des morceaux de sel par-dessus
son épaule dans le sac en forme d'entonnoir qu'il portait
sur le dos, ses pensées s'envolaient bien souvent jusqu'à
la côte des Cimbres. Il lui arrivait de s'arrêter un instant,
frappé par l'idée que Thorkim aurait peut-être un jour ce
même morceau de sel dans la main.

Après ces jours de labeur éreintant, les esclaves
reprirent leur marche vers le sud. Il s'agissait maintenant
de passer les Alpes.

Le chemin montait en serpentant à travers de sombres
forêts de sapins. Au-dessus des têtes, le vent bouillonnait
dans les aiguilles.

Puis les montagnes disparurent, cachées par des tourbillons de neige. La tempête fonçait sur les hommes. Ils
avançaient en titubant. Toujours plus loin et toujours
plus haut, vers un ciel sans fond.

L'hiver alpin avait pris Armilius au dépourvu. L'hiver
lui barrait la route de Rome. Mais Armilius ne se laissait pas arrêter...

— En avant! criait-il sans cesse. En avant!

Il s'était armé d'un fouet et s'en servait aussi bien
pour frapper les esclaves que les argousins.

Près du col, Armilius fractionna la colonne. Bien lui en
prit. La neige avait recouvert la route. Soudain un cri
strident retentit à travers la tempête. Armilius arriva en
rampant et se pencha sur l'abîme. Un argousin à la figure
noirâtre gisait plus bas que le sentier. Trois esclaves
avaient glissé et pendaient au-dessus du gouffre, retenus
par leurs chaînes. L'argousin tenait cette chaîne. Der-

rière lui, cinq ou six esclaves, le dos arc-bouté contre la paroi, essayaient de se dégager de leurs liens.

— Tenez ferme! cria Armilius.

L'argousin ne lâchait pas. Mais, en même temps que son corps s'enfonçait de plus en plus dans la neige fraîche, il était tiré de biais vers le bord du précipice.

— Empoignez-le... Vous entendez?

Armilius se tut brusquement. L'argousin avait disparu. Telle une ancre qui passerait par-dessus bord, entraînant sa chaîne, son corps très lourd avait attiré les esclaves dans l'abîme.

Armilius se leva et se serra contre les rochers.

— En avant! hurla-t-il.

Les fouets claquèrent.

Pendant quarante-huit heures, il se traînèrent ainsi sur le faîte escarpé du monde. Aveuglés par les tourbillons de neige et assourdis par la tempête qui faisait rage, ils cherchaient en tâtonnant leur chemin le long des précipices.

Cette marche atroce dura une bonne semaine durant laquelle, à chaque pas, la mort frôlait les hommes de son aile. Une nuit, pourtant, la tempête se calma et le lendemain leurs jambes se firent plus légères. Ce fut ensuite la descente. Des flocons de neige tombaient avec douceur. L'hiver se retirait peu à peu et les esclaves exténués entraient avec émerveillement dans un univers d'une indicible beauté.

Au fil des jours, de nouveaux paysages apparaissaient aux yeux éblouis d'Odbjœrn. Un monde inconnu se déployait sous ses pas. Dans un tourbillon ininterrompu de couleurs, des vignes d'un vert tendre alternaient avec des oliviers grisâtres qui, tels des moutons laineux, se serraient les uns contre les autres sur des plaines jaune ocre. Magnifiés par la lumière, de beaux cyprès — tels des gardes de bronze — bordaient la grand-route poussiéreuse qui, à travers la campagne, menait droit jusqu'à la ville.

La nuit aussi semblait nouvelle. Odbjœrn aimait se coucher pour regarder le ciel. La lune roulait entre les fûts noirs des cyprès. C'était le moment où l'on fêtait l'été dans le domaine de Hugwa. Au sacrifice du printemps suivant, le grand paysan donnerait sa fille à celui qui se présenterait sur la plaine du ting escorté par le plus grand nombre de guerriers. Il n'y avait plus que douze lunaisons avant cette époque, et Odbjœrn était plus loin de la richesse et de la puissance que jamais. Certes il était pauvre et sans renom à son départ, mais il n'avait jamais été esclave.

En songeant à cela, le garçon était heureux qu'il y eût des montagnes, des fleuves et des plaines infinies entre Groa et lui, de sorte qu'elle ne puisse voir les étoiles italiennes briller dans les larmes, sur ses joues.

Tôt un soir, ils atteignirent le lac Sabatinus. Armilius s'arrêta et y fit pousser les esclaves afin qu'ils puissent se débarrasser de la poussière du voyage avant d'être mis en vente sur le marché.

Le lendemain, en montant sur les hauteurs, au sud du lac, ils entrevirent la ville aux sept collines.

La longue marche avait pris fin.

CHAPITRE X

ODBJŒRN se tenait debout sur une plaque tournante.
On l'avait dévêtu et ses pieds étaient blanchis à la
craie, car c'était la première fois qu'il était vendu comme
esclave.

D'un coup de talon, Armilius fit tourner la plaque
pour qu'on puisse regarder le garçon de tous les côtés.

Du coup le Champ-de-Mars tourna aussi devant les
yeux du jeune homme. La via Flaminia par laquelle il

était arrivé à Rome disparaissait en ligne droite derrière l'énorme tour ronde où reposerait un jour l'empereur Auguste.

Venaient ensuite les eaux jaunes du Tibre, le dôme du Panthéon et la colonnade du cirque Flaminius.

Odbjœrn était si absorbé par ses découvertes qu'il ne sentait même pas les nombreux doigts qui palpaient son corps et n'entendait pas la voix d'Armilius dont les éclats coupaient le bourdonnement de la foule.

— *Honores quirites*, citoyens romains. Regardez ce gaillard vigoureux. Pas un Gaulois... Pas un Germain... On est allé le chercher au pays des Cimbres, à l'extrême bout du monde. En un mot, une rareté.

Armilius toussa et continua :

— Odbjœrn..., un Cimbre..., dix-huit ans. Odbjœrn qui s'y connaît en chevaux. Tiens-toi droit, grogna-t-il entre ses dents, et il frappa le garçon avec son fouet.

Le marchand d'esclaves aperçut soudain le chef des Rouges, association de cochers qui prenait part aux courses du cirque Maximus.

— Domini Vatia! appela-t-il.

Le cavalier fit tourner son cheval et s'approcha. Vatia était petit et trapu. Une couronne de cheveux noirs pendait autour de son crâne chauve, tel un avant-toit vétuste. Vatia souffrait de la chaleur. La sueur laissait des traces gluantes sur ses joues. Il portait une tunique sans manches et une cape rouge. Un bracelet d'ivoire serrait le haut de son bras rebondi. Odbjœrn remarqua que les gens se retournaient et regardaient avec curiosité le chef d'écurie. On s'écartait respectueusement de lui. Et Armilius, transformé en un chien qui frétille de la queue, rampait sous les étriers de cet éventuel client.

— J'apprends à ma grande joie que Nikalos a battu Dioclès de trois longueurs, dit-il d'un ton mielleux.

— Nikalos est notre meilleur homme, grommela Vatia. Nous venons toujours à bout des Bleus et des Blancs, mais jamais des Verts. Nikalos est bon, mais Metellus Rutilius est meilleur encore!

Le gros homme se tut soudain et jeta un regard inquiet sur ceux qui se pressaient autour de lui pour l'écouter.

— Ça suffit, bougonna-t-il. Armilius, tâche donc de me trouver un bon cocher que je puisse dresser pour les courses.

— Ce sera difficile, Vatia. Mais regarde ici... J'ai un esclave d'écurie de premier ordre, qui s'y connaît en chevaux. Seize cents sesterces et il est à toi.

Vatia s'approcha de la plaque pour examiner Odbjœrn de plus près.

Soudain il tira sur les rênes de son cheval. Celui-ci releva brusquement la tête et heurta le jeune homme, qui tomba sur le dos et se cogna aux dalles de marbre avec un bruit sourd. Un rire sonore déferla sur lui.

Il se releva, les joues empourprées de honte. A peine eut-il le temps de regagner son perchoir que la monture de Vatia recommençait son manège et l'envoyait rouler une nouvelle fois à terre.

— Il me semble que ce garçon a peur des chevaux, pouffa Vatia.

— Lève-toi! grogna Armilius en frappant le garçon à toute volée.

QUAND LES FEUX BRULERONT

Odbjœrn serra les dents. On aurait dit qu'un éclair blanc pénétrait dans sa tête chaque fois qu'un coup l'atteignait. Il se releva lentement. Mais soudain, fou de rage, il bondit sur la plaque, saisit la bouche du cheval et lui serra fortement les naseaux. L'animal hennit et secoua la tête pour se libérer de cette prise étouffante.

Vatia sentit la bête trembler sous lui.

— Lâche-le! cria-t-il.

— Lâche-le! cria Armilius en fouettant le garçon à tour de bras.

Le cheval s'agenouilla. Juste au moment où l'animal s'affaissait, Vatia sauta à terre en jurant.

Odbjœrn relâcha alors sa prise et mit un pied sur le cou de l'animal. Puis, d'un geste rapide, il détacha la sangle et lança au loin la pièce de toile qui servait de selle.

— Qu'est-ce qui lui prend? hurla Vatia.

Odbjœrn avait enfourché le cheval qui s'était relevé. Sûr de lui, le jeune homme tendit les rênes et fit virevolter l'animal à une telle vitesse que les spectateurs s'éparpillèrent aussitôt comme des brins de paille sous le vent.

Puis le cheval s'engagea au galop sur le Champ-de-Mars, faisant jaillir des étincelles autour de ses sabots.

Une vague d'enthousiasme parcourut la foule puis se brisa dans un silence absolu. On aurait dit que le monde reprenait souffle.

Tantôt debout sur la croupe, sautillant comme une pie, tantôt assis, tantôt à plat ventre, Odbjœrn, souple comme une liane et solide comme un roc, ne semblait faire qu'un avec la bête qu'il montait avec une incomparable maîtrise.

Quand, un instant plus tard, il bondit à nouveau sur

la plaque tournante, l'enthousiasme qu'avait soulevé son exhibition tourna au délire.

— Combien? grommela Vatia.

— Trois mille sesterces! cria Armilius.

— Tout à l'heure, tu avais dit seize cents!

— Oui. Maintenant il en vaut trois mille cinq cents.

— Tu as dit trois mille.

— J'ai voulu dire quatre mille.

— J'accepte! cria Vatia.

L'enthousiasme reflua et le bourdonnement de voix s'éteignit peu à peu à travers la place.

— Il est à toi pour quatre mille, cria Armilius. Que dirais-tu maintenant de deux Chérusques vigoureux! Deux mille sesterces pièce.

— Soit. Tu peux me les choisir, Armilius. J'enverrai une voiture les chercher tous trois.

Moins d'une heure plus tard, une espèce de carriole à deux roues vint prendre livraison des trois esclaves et, à travers les rues grouillantes de la ville, les emmena jusqu'au cirque Maximus.

A genoux à même le plancher de la voiture, Odbjœrn ne perdait rien du spectacle. Sur sa droite se dressait la colline du Capitole, au sommet de laquelle scintillait le toit de bronze doré du temple de Jupiter. Dans le fond, derrière les colonnes et les murs blancs du temple, le garçon entrevit l'espace d'un instant les statues du Forum, qui semblaient figées comme par enchantement entre les voiles d'eau qui retombaient des fontaines.

La voiture descendit la via Sana, se frayant avec diffi-

culté un passage dans la foule exceptionnellement dense
à cette heure. Il y avait là des visages noirs comme des
ombres et d'autres bruns comme les feuilles d'automne ;
des hommes vêtus de costumes de guerriers étrangers ;
des nègres au buste nu et au pagne blanc ; des Germains
en cape brune. Tous les peuples de la terre semblaient
s'être donné rendez-vous dans la ville aux sept collines.

L'heure où les voitures et les chariots devaient avoir
disparu des rues de Rome était déjà passée. Le cocher
poussa son mulet, fit un détour par des ruelles étroites et,
après avoir traversé le quartier pauvre, longea le mont
Palatin, où le palais de l'empereur appuyait ses murs
épais contre le versant sud.

Là-bas, dans la vallée, se trouvait le cirque Maximus,
long et étroit comme un navire. Odbjœrn pensa qu'une
centaine de halles comme celle de Hugwa mises à la
suite les unes derrière les autres n'occuperaient pas
autant de place.

... Mais, en approchant, il vit que la halle de Hugwa
aurait pu être contenue dans chacune des arcades sous
lesquelles on passait pour pénétrer dans l'ouvrage ; et
qu'il y avait plusieurs centaines de ces arcades... Plus
qu'il n'était capable d'en compter.

CHAPITRE XI

Ce fut ainsi qu'Odbjœrn devint esclave d'écurie chez le champion de course en chars Nikalos.

Il y fit la connaissance d'un monde dur et brutal et ne tarda pas à se rendre compte que les quatre associations se combattaient par tous les moyens, même en dehors de l'arène. Ils essayaient souvent de se voler les meilleurs cochers en leur promettant d'énormes sommes d'argent. Si cela ne réussissait pas, il arrivait souvent qu'un cheval s'écroulât dans sa stalle, sous l'effet d'un mystérieux poison. D'autres fois, une roue se cassait pendant la course, un conducteur disparaissait sans laisser de trace.

En dormant, le champion faisait mieux de ne fermer qu'un seul œil à la fois. Et l'esclave d'écurie qui couchait près des chevaux devait, de préférence, les tenir ouverts.

Tout en montant une garde vigilante, Odbjœrn n'allait quand même pas jusque-là.

Nikalos arriva une nuit et trouva le garçon couché sur une poutre au-dessus des chevaux. Il parut surpris qu'il fût possible de dormir dans une telle position sans tomber au milieu des bêtes. Mais du moment que c'était faisable, le jeune homme avait choisi un bon endroit. Nikalos fut satisfait, mais n'en souffla mot.

Pendant les premiers jours de son travail chez les Rouges, le garçon n'entendit même pas la voix du champion. Celui-ci arrivait souvent à l'improviste sans rien dire. Chaque fois il trouvait les chevaux étrillés à en reluire et bien soignés. Et chaque fois qu'il examinait la litière de paille, elle était propre et sèche. Nikalos ne voyait aucun reproche à faire à Odbjœrn, et un beau jour il finit par lui adresser la parole.

Nikalos était un grand Macédonien de belle carrure. Ses cheveux blonds étaient frisés comme ceux d'un nègre. Une cicatrice blanche couvrait la moitié de son menton.

— Là où l'arène nous a baisé la joue, la barbe ne repousse plus, expliqua-t-il à Odbjœrn.

Nikalos était le meilleur cocher des Rouges, et le garçon était fier de servir dans son écurie.

QUAND LES FEUX BRULERONT

Peu à peu, il fit la connaissance des autres champions. Dioclès, de l'association des Bleus, comptait parmi les bons. Bien qu'il fût boiteux, il allait plus vite encore qu'Antonius Tubero, qui appartenait aux Blancs. Mais Metellus Rutilius, de l'association des Verts, les dépassait tous.

Metellus Rutilius avait plus de trois cents victoires à son actif. Il était si orgueilleux qu'il arrivait au cirque en chaise à porteurs. Et si tout ne marchait pas à son gré, il refusait simplement de prendre part à la course.

On comprenait à Rome que si quelqu'un devait un jour arracher la victoire des mains de Metellus, ce ne pouvait être que le Macédonien Nikalos, qui l'avait toujours suivi de très près. On pariait sur Metellus ou sur Nikalos.

Il y avait encore du temps avant les Saturnales. Mais dans un mois déjà aurait lieu la grande course de sélection à huit quadriges, dont les quatre meilleurs cochers seulement seraient autorisés à prendre part à la compétition qui se déroulerait lors de la fête des Saturnales. Metellus et Nikalos pourraient s'y mesurer. Ce jour-là, le cirque serait comble et l'on viendrait de loin pour admirer leur maîtrise.

Le Macédonien s'entraînait quotidiennement. Un écho de coups de fouet et de coups de sabots allait et venait entre les gradins vides, donnant l'impression que des centaines de chevaux galopaient.

Un mur appelé « spina » partageait la piste en deux. Au haut de cette rampe était placée une horloge à eau qu'Odbjœrn surveillait pendant que Nikalos tournait autour de lui. Gémissant et dégouttant de sueur, le champion montait parfois sur le mur pour examiner la clepsydre. Puis il secouait la tête avec désespoir et repartait.

Le Macédonien, en effet, était mécontent de son cheval d'aile qui, à son gré, entraînait trop lentement l'attelage dans les tournants. Il grinçait des dents et lui lançait de tels coups de fouet sur la croupe que l'animal se cabrait parfois dans les traits.

Debout sur le mur, Odbjœrn se perdait souvent dans ses pensées. Toutes ces choses nouvelles ne réussissaient pas à lui faire oublier la fuite des heures et l'approche naissante du printemps.

Le garçon avait appris les noms que les Romains donnaient aux lunaisons. Août tirait à sa fin. En décembre se dérouleraient les Saturnales. Et pendant le mois qui portait le nom de Mars, dieu de la Guerre, le sacrifice du printemps aurait lieu sur la plaine du ting. Il fallait absolument qu'Odbjœrn fût de retour au pays dans sept mois.

Il sursauta soudain.

— Tu dors? cria Nikalos, le bousculant un peu. A toi de jouer maintenant. Et essaie de tenir le cheval d'aile aussi près que possible du mur.

En disant cela, le Macédonien lui tendit la ceinture avec le couteau. Ce couteau, en cas de chute, lui servirait à couper les rênes. Tous les cochers agissaient de la même façon — cela leur évitait d'être traîné à terre par leur attelage emballé.

Peu à peu, Odbjœrn avait appris la façon de conduire un quadrige. Nikalos lui avait montré comment on changeait brusquement de direction pour dépasser l'adversaire, comment on poussait en avant le cheval d'aile, comment on prenait les courbes.

Un jour, il avait lui-même fixé les guides autour de la taille du jeune homme et avait sauté du char. Nikalos pensait qu'il pourrait mieux évaluer la capacité de chaque cheval si un autre que lui conduisait.

Odbjœrn partit avec une secousse. Le petit char à deux roues tourna autour des bornes placées aux extrémités de la spina puis s'élança dans la ligne droite.

— Plus vite, cria Nikalos. Sers-toi du fouet. Fais avancer le cheval d'aile.

Odbjœrn était allé loin pour devenir riche et puissant. Et souvent il avait pensé qu'il s'était égaré. Mais debout, là, les rênes autour de sa taille, il comprenait que le destin l'avait conduit justement à l'endroit de la terre où la lutte pour le bonheur se résumait en une course éperdue et impitoyable.

— Arrête, cria Nikalos. Ça ne va pas. Avec ce cheval-là, je ne l'emporterai jamais sur Metellus.

Le lendemain, Nikalos et Odbjœrn se rendirent au marché d'Ostia.

Dans le port de Rome, à l'embouchure du Tibre, les navires à blé se touchaient presque. Entre les proues et les beauprés, le garçon entrevit une mer qui l'étonna par sa couleur d'un bleu intense.

Au dernier môle, il y avait un chantier de construction navale. Un navire y attendait son lancement.

— C'est le chantier de Lurco Nauklerus, expliqua

QUAND LES FEUX BRULERONT

Nikalos. Et c'est une *liburna* à deux rangées d'avirons qu'il vient de construire. Allons! Nous sommes pressés!

Le maquignon Mango Plancius battit des mains lorsqu'il aperçut le champion.

— Le voici qui arrive! Ne l'avais-je pas dit? Nikalos vient chercher le cheval.

— Comment as-tu su que je...

— Nikalos, tout Rome parle du veau dont tu te sers comme cheval d'aile, bêla Mango. Mais quand j'entends les gens parler, je dis : Attendez et vous verrez. Un beau jour Nikalos viendra ici chercher le cheval dont il a besoin.

— Et qu'as-tu à m'offrir?

— Une bête sauvage d'Arcadie, hurla Plancius. Mais ne me demande pas comment j'ai pu le faire entrer ici.

Il montra un enclos où un étalon noir agitait les oreilles.

— Prends-le tel quel, pour trois mille sesterces. Je dirai merci quand je serai débarrassé de cette brute. Mais ne raconte pas ensuite que je ne t'ai pas averti. Si tu peux le mater, il t'apportera la victoire ; sinon...

Mango Plancius se réfugia derrière une porte d'écurie sans interrompre le flot de ses paroles, tandis que Nikalos et Odbjœrn se préparaient à capturer l'étalon.

Le garçon fit un nœud coulant au bout d'une corde et essaya de prendre la tête du cheval dans la boucle en lançant son lasso par-dessus la palissade. Dès qu'il y fut parvenu, l'étalon frappa le sol de ses sabots et fonça sur la clôture.

— Peu m'importe qu'il donne des coups de corne,

pourvu qu'il coure mieux qu'une chèvre, dit Nikalos en riant.

Et il le baptisa sur l'heure Capellus, la Chèvre.

Ils rentrèrent à cheval par la via Ostia. Chacun d'un côté de la route, avec l'étalon entre eux. Ils lui avaient passé une corde autour de l'encolure, mais ils avaient fort à faire pour maintenir l'animal fougueux, qui piétinait, se cabrait et dansait en rond.

— Nikalos !

— Oui.

— Combien cela coûte-t-il de faire construire une *liburna* ? cria Odbjœrn sous le poitrail du cheval cabré. Une *liburna* à deux rangées d'avirons ?

Nikalos compta et additionna.

— Trois cent mille sesterces, répondit-il en haletant. Et il faut ajouter soixante esclaves aux avirons, ce qui fait quatre-vingt-dix mille... Tu peux compter environ quatre cent mille sesterces.

— Combien gagne le vainqueur d'une course ? demanda encore Odbjœrn.

— Cinquante..., parfois soixante mille sesterces. Tantôt un peu plus, tantôt un peu moins. Ecoute, dis-moi... ? Veux-tu construire un navire ?...

— Je... Je veux devenir un champion comme toi ! cria Odbjœrn par-dessus l'encolure courbée de Capellus.

CHAPITRE XII

D'UN revers de main, Domini Vatia essuya ses fortes mâchoires luisantes de graisse. Il était repu et satisfait. Nikalos avait très exactement trouvé le cheval qui lui avait manqué jusque-là pour battre Metellus. Le gros corps du Romain fut secoué d'un rire énorme. Avant deux mois, la Chèvre ferait parler d'elle.

Vatia s'étira et se sécha les doigts dans les cheveux du serviteur qui se tenait près de lui. Puis il fit appeler Odbjœrn.

QUAND LES FEUX BRULERONT

— C'est donc ça que tu veux? lui dit-il lorsque le jeune homme eut baisé le bas de sa tunique. Tu portes l'insigne des esclaves autour du cou et tu songes quand même à devenir conducteur de char. Tu comptes peut-être sur un cadeau de quatre chevaux de la part des Rouges.

— J'achèterai les chevaux moi-même, répondit fièrement Odbjœrn, qui avait supplié Nikalos de lui obtenir cette entrevue.

— Avec quel argent? grommela Vatia.

— Je pense pouvoir vendre ceci.

— Qu'est-ce? Fais-moi voir...

Le Romain leva vers la lumière le morceau d'ambre que lui tendait le garçon. Une araignée et une mouche avaient été figées à l'intérieur de la pierre au moment même où les longues pattes de l'araignée voulaient saisir l'insecte. Pris sur le vif.

Ce morceau d'ambre valait bien deux ou trois quadriges. En somme, il lui appartenait, comme tout ce que possédaient ses esclaves.

« Tant pis, pensa Vatia. Si le garçon achète des chevaux avec cet argent, les chevaux m'appartiendront aussi. Et peut-être ce nouveau venu se révélera-t-il être un excellent cocher. »

— Je te donnerai huit mille sesterces pour cette petite merveille, dit-il. Achète un attelage. Mais n'en néglige pas pour autant ton travail.

La même nuit, Odbjœrn retourna à Ostia, chez Mango Plancius.

QUAND LES FEUX BRULERONT

Nikalos s'était offert pour garder l'écurie pendant son absence. Avant même que la louve eût commencé à s'étirer dans sa cage, sous le Capitole, le garçon revenait avec quatre rouans.

— Quatre rouans de Cyrénaïque, annonça-t-il fièrement en les montrant au Macédonien.

— Celui-ci me paraît un peu fané, remarqua Nikalos en faisant glisser sa main sur le flanc creux de la bête. Et celui-là est borgne, continua-t-il.

Tout cela, Odbjœrn le savait. Il s'en était aperçu à Ostia. Il avait vu le sourire perfide du maquignon quand celui-ci vantait les rouans.

— Ils courent comme s'ils avaient le boucher à leurs trousses, reconnut Nikalos la première fois qu'il vit le garçon essayer ses chevaux.

Le Macédonien trouva dans une remise un vieux char poussiéreux et en fit cadeau à Odbjœrn. C'était un type de char hors d'usage depuis une dizaine d'années. Il était un peu trop grand et un peu trop lourd. Le garçon changea le timon et la volée. Il arracha les lourdes plaques de bronze du fond et de la caisse, ce qui rendit le véhicule plus léger. Si léger que Nikalos s'en inquiéta.

— Méfie-toi, dit-il. Songe que tu dois prendre des tournants serrés avec cette voiture.

C'était la nuit précédant la course.

Vatia avait fait poster des gardes autour des écuries. Quand Nikalos cessait de marcher, Odbjœrn les entendait aller et venir dans la cour.

QUAND LES FEUX BRULERONT

— Tu devrais monter te coucher, suggéra le garçon.

Le Macédonien ne répondit pas et se remit à arpenter l'écurie de long en large. La paille bruissait sous ses pas.

— Mets-le-lui maintenant!

Il s'était arrêté derrière la stalle de Capellus. Au son

de sa voix, l'étalon bondit et alla se cogner le poitrail contre la mangeoire.

— Si j'étais toi, Nikalos...

— Tu as entendu ce que je t'ai dit? Obéis.

Odbjœrn se leva et décrocha quelques morceaux de cuir d'une patère de bois. Nikalos avait fait faire une œillère par le sellier et voulait qu'elle fût mise sur l'œil gauche de l'étalon.

QUAND LES FEUX BRULERONT

— Renonce à cela! supplia Odbjœrn. Cette bête fonce au hasard. Si en outre elle ne peut voir le mur!

— Si elle ne le voit pas, je pourrai serrer de plus près les tournants. Allons, fais ce que je te dis, rugit Nikalos.

Dès qu'Odbjœrn fit mine d'entrer dans la stalle, l'étalon rua entre les bat-flanc. Son agitation se transmit aux autres chevaux. Du coup, l'écurie fut en effervescence.

Un garde entrouvrit la porte et demanda si quelque chose n'allait pas.

— File! hurla le champion, exaspéré. Et toi, arrête! ajouta-t-il à l'adresse d'Odbjœrn. Attends à plus tard, quand nous l'attèlerons.

Il regarda Capellus, qui s'agitait comme une bête fauve. Les muscles de ses joues pâles se tendirent, et ses yeux se rétrécirent avec une expression méchante à l'idée qu'il n'était pas encore arrivé à mater l'animal.

— La brute est plus folle que jamais, grommela-t-il.

— Il se rend peut-être compte que tu en as peur, remarqua Odbjœrn.

— Qu'est-ce que tu dis?

Nikalos s'approcha d'un air menaçant.

— Peur n'est peut-être pas le mot juste, s'excusa le garçon. Mais si un cheval effrayé sent l'inquiétude d'un homme, alors...

— Ça suffit, cria le Macédonien en lui assenant un coup sur la bouche.

Odbjœrn pâlit. Ses yeux gris parurent se décolorer.

— Dans mon pays on trouve méprisable l'homme qui frappe les bêtes et les esclaves, dit-il à voix basse.

Le champion ne répondit pas mais souffleta à nouveau le garçon. Odbjœrn recula en vacillant et s'adossa contre le bat-flanc. L'étalon fit claquer ses sabots dans la paille et se figea dans une attitude menaçante.

— Je sais maintenant que tu as peur, murmura le jeune homme.

Nikalos leva la main. Mais il vit le sang suinter au coin des lèvres de l'esclave et tracer une raie rouge sur son menton.

Il laissa retomber le bras, et tous les muscles de son corps semblèrent se relâcher d'un seul coup.

— Pardonne-moi, dit-il. (Il passa la main sur ses yeux.) Tu as raison. J'ai peur. Mais pas de Capellus. Ni de mourir, si c'est mon sort. J'ai seulement peur de perdre, ajouta-t-il d'une voix rauque... Pardonne-moi.

— Tu ferais mieux de dormir avant la course, répondit simplement le garçon.

Le champion se retourna et partit. Odbjœrn l'entendit monter lourdement l'escalier. Il écouta un instant ses pas aller et venir dans le grenier. Puis il essuya le sang de ses lèvres.

Le pire n'était pas que Nikalos l'eût frappé si fort, mais bien qu'il eût brisé l'image de ce Nikalos qu'Odbjœrn s'était créée dans son cœur.

Réveillé quelques heures plus tard par un bruit de paille froissée, le garçon s'assit sur son séant. Nikalos était devant lui, vêtu du costume des Rouges. Une tunique pourpre entourée de bandes d'étoffe étroites, le poignard à la ceinture et le casque de cuir serrant la tête.

— Il fera bientôt jour, dit-il. Attelons et partons là-bas.

Odbjœrn se retourna et vit l'aube suspendue comme une toile d'araignée aux fentes de la porte.

— Tu sais que Vatia t'a défendu de quitter l'écurie avant le commencement de la course.

— Je le sais, mais il faut quand même que j'aille là-bas. Il faut que je fasse quelques tours pour que cette brute épuise un peu sa sauvagerie.

Quand ils sortirent, Odbjœrn remarqua une lumière dans l'écurie verte. Metellus, lui non plus, ne perdait pas son temps.

Et pas seulement Nikalos et Metellus. Tout Rome semblait être debout, bien que le soleil fût à peine levé derrière la colline de l'Esquilin.

En pleine ville, derrière le Palatin, l'obscurité de la nuit était longue à sortir des rues étroites. Ils durent arrêter leur voiture devant les portes de la cité, tant il y avait d'embouteillages. Aussitôt le char fut entouré de curieux. Un bourdonnement de voix les enveloppa.

— Allumez une torche, cria quelqu'un. C'est lui!

— Qui?

— Nikalos, le Rouge.

— Nikalos!... Nikalos! criait-on.

Les gardes se serrèrent autour du quadrige. Odbjœrn, qui était à cheval à côté de Capellus et le tenait par le mors, sentait l'inquiétude gagner l'étalon. Soudain un homme passa en courant, une torche à la main. Effrayé, Capellus se cabra, soulevant à moitié le garçon.

— Nikalos a un nouveau cheval, cria une voix.

— Où?

QUAND LES FEUX BRULERONT

— Ici...

Un garde sauta près d'Odbjœrn et, de la hampe de sa lance, repoussa ceux qui s'approchaient trop. Des cris s'élevèrent.

Les gens se bousculèrent et formèrent un mur vivant devant le quadrige.

— Ecartez-vous, bonnes gens, cria Nikalos. Laissez-nous passer. Sinon nous n'aurons pas de course aujourd'hui.

— Laissez-le passer, fut-il crié. Laissez passer Nikalos...

Après avoir suivi d'étroites ruelles, ils débouchèrent sur la grand-place, devant le Cirque Maximus. Des côtés latéraux venaient un bruissement de voix et le tapage de milliers de Romains qui avaient passé la nuit sous les arcades, afin de s'assurer dès l'ouverture une place sur les gradins.

Les portes se refermèrent lourdement derrière le champion, coupant net le bruit.

Dans l'arène silencieuse, une douzaine d'esclaves achevaient les préparatifs de la course.

Le dos appuyé contre l'obélisque, Odbjœrn vit le quadrige de Nikalos s'approcher de plus en plus, pour passer l'instant suivant devant lui et continuer le long du mur.

Au tour suivant, le champion s'arrêta devant l'adolescent et l'appela de la main.

— Eh bien! l'œillère n'a-t-elle pas servi?

Les joues du Macédonien étaient rouges d'excitation.

Il tira sur les rênes et, avec un rire orgueilleux, les attacha plus solidement autour de ses reins.

— Tu as vu comme j'ai serré les tournants? La brute ignore complètement qu'elle court tout près du mur.

Nikalos respira profondément.

— Enlève le joug maintenant, ajouta-t-il.

— Le joug? haleta Odbjœrn. Ne fais pas cela. Tu risques de voir tes chevaux s'éparpiller comme une poignée de sable.

— Ils n'en seront que plus légers. Fais donc ce que je dis... Attache la bricole de Capellus à celle du cheval voisin.

Odbjœrn obéit, avec désespoir.

— Tu as fini? s'impatienta le Macédonien. Je vais faire un dernier tour.

— Renonces-y, Nikalos!

Odbjœrn fit un signe dans la direction des écuries.

— Tiens! écoute! Les autres sont en train de s'installer.

— Encore un tour, supplia presque le champion. Lâche tout.

Un coup de fouet. Le char bondit.

Odbjœrn grimpa sur le mur. Soudain il tressaillit. Il avait vu quelque chose remuer là-haut, à l'autre extrémité du cirque. Quelque chose qui se baissa bien vite pour disparaître entre les gradins vides.

Une ombre? Peut-être un nuage? Mais le ciel était limpide et le soleil matinal brillait à l'angle de la spina.

Le garçon secoua la tête et retourna s'asseoir.

Le quadrige passa en trombe.

QUAND LES FEUX BRULERONT

Le brave Nikalos ne se contentait pas d'un tour.

Odbjœrn entendit les chevaux contourner les bornes placées aux extrémités de la piste et, sans savoir pourquoi, d'un seul coup, il se mit à frissonner. Un étrange malaise l'envahit. Quelque chose lui prédisait mort et malheur.

A cet instant, il aperçut l'homme entre les gradins vides. Son visage et ses cheveux noirs flamboyaient comme du cuivre à la lumière du soleil.

Paralysé de frayeur, Odbjœrn le vit lever une fronde et viser. Lentement et soigneusement. Il eut l'impression que son sang se glaçait dans ses veines. Il voulut crier et avertir Nikalos, mais il en fut incapable...

QUAND LES FEUX BRULERONT

Les paroles se changeaient dans sa gorge en une sorte de râle.

Il bondit sur ses pieds et fit quelques pas en avant.

— Nikalos, cria-t-il... Nikalos...!

Le champion tourna son visage vers lui.

Au même instant ce fut l'accident...

Capellus sursauta, effleurant le mur. Fou de peur, il fit un écart pour s'en éloigner et heurta le cheval voisin, qui trébucha et se cogna au timon.

Le char fut projeté contre la spina et vola en éclats. Odbjœrn vit une roue traverser la piste tandis que l'attelage emballé s'éloignait au galop, traînant derrière lui le Macédonien. Le champion se tortillait dans la poussière. Il avait sorti son couteau et essayait de trancher les rênes.

Odbjœrn courut de l'autre côté du mur. Les chevaux surgirent, tirant derrière eux un bout de timon cassé qui dessinait une ligne ondoyante sur le sol.

Là-bas, près du fossé qui séparait les places des spectateurs de l'arène, gisait Nikalos.

Odbjœrn sauta sur la piste et courut vers lui.

— Nikalos, murmura-t-il. C'est ma faute. C'est parce que je t'ai appelé. Pardonne-moi!

Il se tut brusquement.

Nikalos était couché sur le dos. Ses yeux grands ouverts levaient un regard vide vers le ciel. Ses cheveux blonds frisés étaient trempés de sang. La tunique était arrachée de son épaule et de sa poitrine et le sang coulait d'une blessure profonde à l'aisselle.

— Nikalos!

Il s'agenouilla à côté du champion.

— Nikalos, sanglota-t-il.

Les pleurs lui coupèrent la voix et sortirent, telle une bulle d'air, entre ses lèvres tremblantes.

Le Macédonien avait tourné la tête.

— Par Jupiter, je crois que ce garçon pleurniche, murmura-t-il.

Il essaya de sourire mais son visage se crispa.

— C'est ma faute, cria presque Odbjœrn. C'est parce que je t'ai appelé.

— N'en crois rien, gamin. Ne t'imagine pas que tu puisses renverser Nikalos de sa voiture. Non, j'ai vu la pierre frapper la croupe de Capellus. Tu vois, Metellus a pensé qu'il ne valait rien pour ma santé de conduire cette brute.

Le Macédonien serra les lèvres, comme s'il avait étouffé un cri de douleur.

— Essaie donc d'arrêter les chevaux pour qu'ils ne se fassent pas de mal, gémit-il.

Quand Odbjœrn se redressa, il vit que les hommes de piste avaient arrêté le quadrige. Et, au même instant, il aperçut Vatia qui arrivait en courant, sa toge volant derrière lui.

CHAPITRE XIII

Un silence accablant régnait dans l'écurie de départ. Un sourd gémissement sortait parfois de la pénombre, où l'on avait couché Nikalos mourant. Près de lui, une dizaine d'esclaves tenaient les chevaux en respect. Ils pressaient leurs épaules contre les bêtes frémissantes et les serraient contre le bois des stalles.

Soudain la porte s'ouvrit. Le cocher Scipio parut.

— Quelles nouvelles?...

— Sors d'ici! cria Vatia. Reste auprès de ton char et tiens-toi prêt.

Scipio disparut précipitamment. Vatia fit claquer la porte derrière lui. Quand il se retourna, il vit le médecin, Nannius, entrer dans l'écurie, une petite caisse sous le bras.

— Enfin, hurla-t-il. Les jours de course, tu ne dois pas circuler sur les gradins et organiser des paris. Tu dois rester ici. Occupe-toi de Nikalos. Il a fait une chute et ne se lèvera pas ces jours-ci. Nous sommes perdus ; Scipio, ce fainéant, ne nous mènera pas aux Saturnales! Curio, ajouta-t-il. Monte chez Sabidius. Qu'il annonce que Nikalos se retire de la course... Quoi? Que dis-tu, Nikalos?

Vatia s'approcha du banc où gisait le blessé.

— Tu m'as appelé?

Les lèvres de Nikalos étaient exsangues.

— Si tu annonces que je me retire, je ne pourrai pas conduire contre Metellus aux Saturnales, gémit-il.

— Je sais, je sais. Mais que faire?

Vatia approcha son oreille de la bouche du mourant.

— Laisse un autre conduire à ma place, murmura le champion. Déguisé... et en mon nom.

— Impossible, se récria Vatia en se redressant vivement. Si on découvre la chose, je serai cité devant le tribunal. C'est une supercherie. Je n'y consens pas.

— Si celui qui conduit à ma place est classé dans les quatre premiers..., je pourrai plus tard conduire aux Saturnales et battre Metellus, reprit Nikalos.

— Non, non et non...

Vatia leva les mains, tourna sur ses talons et se mit à marcher de long en large.

— Et qui serait-ce?

Vatia s'était arrêté. Ses yeux brillaient et le sang revenait à ses joues.

— Il n'y a personne qui te ressemble, marmotta-t-il. Scipio est lui-même un des concurrents. Sporus... Sporus est brun. Et Georgius a un nez comme l'anse d'une cruche.

Vatia essuya la sueur de ses grosses joues avec un bout de sa toge.

— Ceux que tu énumères ne font pas l'affaire, Vatia.

— Qui alors?

— Odbjœrn, murmura Nikalos.

— Odbjœrn? (Vatia en perdit le souffle.) Tu veux dire que...

Le garçon tressaillit en entendant prononcer son nom. Vatia se retourna et le regarda fixement.

— Tu veux dire que...

Nikalos serra les lèvres et inclina la tête.

— Il me ressemble et connaît Capellus. Laisse-le conduire l'étalon avec ses propres rouans.

— Il a des cheveux de jeune esclave, grommela Vatia.

— Le casque les cachera. Passe-lui une de mes tuniques, et tu reconnaîtras que...

Nikalos renversa la tête en gémissant. Les veines de son cou se gonflaient. Silencieux et insensible, Vatia observait ces crispations de souffrance dans le corps du champion.

— Tu as raison. Des gradins, personne ne verra que ce

n'est pas toi qui conduis. Mais parlons franchement,
Nikalos. Qui dit que tu seras en état de conduire à la
course des Saturnales, même si cet Odbjœrn te procure
le droit d'y prendre part?

Il se pencha sur le banc.

— Si tu meurs? murmura-t-il.

— Demande l'avis du médecin.

— C'est ce que je vais faire. Nannius, cria Vatia.
Rampe plus près, couleuvre visqueuse. Et dis-moi s'il
pourra survivre.

Nannius déposa sa caisse de bois et s'agenouilla à côté
du banc. Ses mains palpèrent le corps du champion.
Nikalos jura grossièrement quand le médecin souleva
son bras. Un flot de sang sortit de la plaie. Nannius lâcha
le bras et mit l'oreille sur le cou.

— Tu mourras, Nikalos, souffla-t-il.

— Je suis en train de le faire, Nannius, mais écoute-
moi...

— Eh bien, que dis-tu, Nannius? cria Vatia.

— Il dit que je vivrai, murmura Nikalos.

— Et quand tu mourras, il va me tuer, gémit le
médecin.

Ils se chuchotaient des paroles à l'oreille. De la porte
de l'écurie, un esclave guettait l'arène. Il se retourna
soudain.

— Les bateleurs quittent le mur, cria-t-il.

Ils entendirent les spectateurs applaudir.

— Vite, Nannius. Va-t-il vivre ou mourir?

Vatia piétinait d'impatience.

— Dans mon coffre de voyage, il y a deux mille sesterces, murmura le Macédonien. Cet argent est à toi si...

Le médecin se leva lentement. Nikalos tenait son regard prisonnier.

— Eh bien? (Vatia saisit Nannius par la manche.) Que dis-tu finalement?

— Il vivra.

— Bon. Nous laisserons donc courir ce garçon. Mais rappelle-toi que jusqu'à la fin de la course tu t'appelles Nikalos, cria-t-il à Odbjœrn.

Odbjœrn inclina la tête. Il jeta un regard désemparé sur Nikalos, mais le champion lui adressa un clin d'œil.

— Vite maintenant, cria Vatia. Allez chercher sa voiture et ses chevaux. En route. Toi, Curio, monte chez

Sabidius et demande que la course soit différée d'un quart d'heure. Dis que Nikalos change de chevaux... Et vous, écoutez bien ! (Il se tourna vers les esclaves d'écurie.) Je ferai arracher la langue de celui qui révélerait ce qu'il a pu entendre ici.

— Les cors vont donner le signal, annonça l'homme chargé de surveiller l'arène.

Vatia tournait le dos. Il restait dans un coin, la main sur les yeux, mordillant sa lèvre inférieure. Des gouttes de sueur parsemaient son crâne chauve comme les perles d'un collier brisé.

Odbjœrn déglutit avec peine. Sa langue était comme un morceau de cuir desséché, mais ses mains, qui serraient les rênes et le fouet, étaient moites de sueur. Dans un instant, la porte s'ouvrirait. Et là, derrière ces vantaux de bois noir, se trouvaient la richesse et le pouvoir à la conquête desquels il était parti.

Nikalos fit signe aux esclaves. Ils prirent son banc et l'approchèrent du char.

— Du calme, Odbjœrn, murmura-t-il. Le troisième gagne déjà vingt mille sesterces. Et il a le droit de prendre part aux courses saturnales. Bientôt, tu auras gagné assez d'argent pour acheter ton navire... Largue les rênes, gémit-il. Elles seraient trop courtes quand tu voudrais les abattre. Et écoute-moi bien... Metellus ménage ses chevaux et s'élance seulement à la fin de la course. Economise tes forces jusqu'au dernier moment... Tu entends ? Et méfie-toi de Dioclès, de l'association bleue. S'il coupe la piste devant toi, cesse de retenir tes chevaux. Il se déplacera.

Nikalos respira avec peine.

— Quant à Tubero, ajouta-t-il, prends garde à son fouet. Il a la vilaine habitude de vouloir conduire le char d'autrui en même temps que le sien.

— Voici qu'ils portent les cors à leur bouche, cria Curio de la lucarne.

Le tapage du dehors s'éteignit. Les cors sonnèrent.

Odbjœrn leva son fouet...

Au même instant, les vantaux de la porte s'ouvrirent, libérant une véritable cataracte de lumière qui s'engouffra dans l'écurie, déferla sur le garçon et l'éblouit.

Dioclès, le Bleu, prit aussitôt la tête et serra le mur, précédant de peu Tubero et Thallus, les deux cochers blancs. Les autres suivaient un peu en arrière, en un seul tas et cachés par des nuages de poussière.

Aveuglé par le soleil, assourdi par les cris de la foule et à demi asphyxié par la poussière, Odbjœrn éprouva un peu la même impression que le jour, lointain maintenant, où il avait lancé Ventgris dans le ressac pour repêcher Serbulus.

Le garçon se trouvait coincé entre Scipio et un char des Verts. Il vit que ce n'était pas Metellus — Metellus devait être quelque part derrière lui. Ce ne pouvait donc être que Cassius.

C'était Cassius... Et Cassius essayait d'avancer. Il voulait couper la piste devant lui pour gagner le cercle intérieur avant l'arrivée de la courbe.

— Nikalos!... Nikalos! hurlaient les spectateurs.

Odbjœrn avait l'impression que le ciel tout entier s'était mis à délirer. Les cris tombaient comme des coups de marteau.

Nikalos, c'était lui. Il conduisait pour le Macédonien, pour Vatia et pour les Rouges. Pour lui aussi, et surtout pour Groa, qui l'attendait sur la plaine du ting avant les fêtes du printemps.

Scipio restait en arrière et Odbjœrn biaisait vers le mur. Dans le tournant, il se débarrassa de Cassius et gagna la troisième place derrière Tubero et Thallus. Mais il se souvint à temps des paroles de Nikalos et retint ses chevaux.

Il ne restait plus que trois tours.

— Nikalos!... Nikalos!...

Le nom du champion mourant tournait au-dessus de

l'arène. Puis le tumulte s'apaisait. Et, dans le silence, un autre nom jaillissait :

— Metellus!... Metellus!...

Odbjœrn tourna légèrement la tête et vit les naseaux frémissants des chevaux avancer lentement derrière son épaule droite. Puis le quadrige occupa bientôt la totalité de son champ visuel et l'ombre de Metellus se profila enfin à côté de lui, sur le sol. Metellus! Le prince des cochers! Invincible et orgueilleux. Il tourna sa lourde face du côté d'Odbjœrn et un ricanement dédaigneux étira ses grosses lèvres. Sans même se servir du fouet, il dépassa son rival et disparut derrière la courbe.

De bruyants applaudissements saluèrent cet exploit.

Vatia étouffait de rage. Il n'espérait plus rien. Sa course..., les Saturnales..., tout était perdu.

— Calme-toi, soupira Nikalos. J'ai dit au gamin de retenir le cheval.

— Et voilà une promesse qu'il tiendra! grommela Vatia.

L'intérêt des spectateurs se portait vers Thallus. Un beuglement jaillit des gradins supérieurs, où il comptait de nombreux supporters.

— Thallus!... Thallus!...

L'air, repris en chœur par des milliers de voix, ruissela à travers les galeries.

Mais que se passait-il?

Metellus n'avançait plus. Metellus biaisait. Il ralentit et vint se placer à la hauteur d'Odbjœrn, qu'il dévisagea d'un œil méfiant.

Le Romain resta quelques instants sur la même ligne

Un jeune garçon aux cheveux de fille...

que le Cimbre, puis il essaya de le frapper avec son fouet.

Devant cette menace, Odbjœrn ferma les yeux. La lourde lanière de cuir lui cingla le front. Il eut l'impression d'être marqué au fer rouge. Une douleur folle, lancinante. Encore une fois! Le fouet toucha son casque.

— Regarde, murmura Vatia d'une voix rauque. Il perd sa coiffure!

Un silence sinistre, rempli de coups de sabots, s'abattit sur le cirque.

Ce n'était pas Nikalos qui conduisait le char des Rouges. C'était un Barbare. Un jeune garçon aux cheveux de fille.

— Supercherie!

Le cri monta de la foule et fit trembler les gradins. La masse humaine ondoyait comme une mer sous le vent.

— Pendez-le! A mort, Vatia! Amenez-le!

Un hurlement chassa le gros homme au fond d'une stalle. Il s'agrippa au bat-flanc. Un gargouillement roula dans sa gorge.

Mais lorsque les spectateurs virent le Barbare avancer à nouveau, Vatia fut aussitôt oublié.

Fou de douleur et de rage, Odbjœrn était venu se placer au côté de Metellus. Le Romain fit pleuvoir une grêle de coups sur la croupe de ses chevaux et essaya de se dégager avant d'être enfermé derrière la voiture de Thallus.

Mais il était trop tard. Il fut obligé de retenir son attelage.

Odbjœrn le dépassa en trombe..., dépassa Thallus. Dans le tournant, il sauta Tubero et se mit en tête.

QUAND LES FEUX BRULERONT

Les spectateurs s'étaient levés. Le Barbare l'emportait.

— Bubulcus, hurlaient-ils.

Du coup, ils l'avaient baptisé le « Bouvier », parce que trois de ses chevaux étaient roux comme des bœufs.

— Bubulcus!... Bubulcus!...

Vatia lâcha le bat-flanc et surgit de l'obscurité.

— Portez-moi dehors, haleta Nikalos.

Les esclaves traînèrent le banc devant la porte.

— Ne l'avais-je pas dit, Vatia! Ne l'avais-je pas dit!

La voix de Nikalos se cassa.

Metellus s'était dégagé. Metellus revenait.

Debout, les spectateurs battaient des mains et rythmaient du pied ce chœur tonitruant :

— Bubulcus!... Bubulcus!...

Du coin de l'œil, Odbjœrn vit le char du Romain s'avancer. Pouce par pouce. Le garçon détendit les rênes et les laissa flotter sur le dos de ses chevaux.

Metellus gagnait toujours du terrain. Les chars restèrent côte à côte quelques instants, puis Metellus dépassa son rival et entra le premier dans la course. Un nuage de poussière s'abattit sur le garçon. Le char s'inclina. Le jeune homme se jeta de côté, appuya sa hanche contre la caisse et redressa le quadrige.

Il ne restait plus qu'une longueur de piste. Là-bas, près des bornes, une corde blanchie à la craie était tendue au-dessus du sol. Metellus était en tête, tout près du mur. Odbjœrn biaisait vers la droite. Le moment fatidique approchait.

Le garçon ne pouvait plus économiser les forces de Capellus sans risquer de perdre ses chances. Il cingla l'étalon de toute sa force. Le cheval tressaillit, mais ne bondit pas. Il se contenta d'avancer le cou tendu, sa hanche dépassant légèrement du quadrige.

Hors de lui, Metellus leva son fouet et essaya d'atteindre à nouveau Odbjœrn. Mais le garçon était sur ses gardes. Les mèches des deux fouets se rencontrèrent et s'emmêlèrent. Tirant brusquement le sien, Metellus arracha de la main du jeune homme celui qu'il tenait.

Odbjœrn se jeta alors par-dessus la caisse et fit pleuvoir des coups de poing sur la croupe de ses chevaux.

— Allez!... Allez donc! hurla-t-il.

Il vit Vatia qui tournait autour du but avec de grands mouvements de bras.

Le char avançait... Comme une limace, il rampait le long de la voiture de Metellus.

— Groa, murmura le jeune homme en fermant les yeux.

A ce moment le tumulte et les cris se fondirent en une tempête d'applaudissements. Le Barbare était victorieux. La corde enduite de craie venait de rompre.

Odbjœrn appuya ses pieds contre la caisse et tira sur les rênes de tout le poids de son corps. Le char s'arrêta devant les écuries. Vatia accourut et lui hurla à l'oreille :

— Reste où tu es, tu entends... Ils veulent te voir. Fais le tour de l'arène ou ils vont casser la barrière.

— Bu... bul... cus!... Bu... bul... cus!...

Les spectateurs criaient à s'enrouer. Ils frappaient du pied et hurlaient. Les esclaves de piste sentaient le mur vibrer sous eux.

— Bu... bul... cus!... Bu... bul... cus!...

QUAND LES FEUX BRULERONT

— Ecoute-les donc, cria Vatia.

Mais Odbjœrn le repoussa et courut vers la couche de Nikalos. Le mourant avait les yeux fermés. Le sang dans ses cheveux était noir et figé.

— Nikalos, appela le jeune homme.

Le Macédonien ouvrit les yeux. Ses lèvres remuèrent. Il essaya de lever le bras. Odbjœrn saisit sa main et se pencha sur lui :

— As-tu vu Capellus, Nikalos ? As-tu vu comme il a entraîné les rouans ?

— Je l'ai vu, murmura le champion. C'est un bon cheval. Garde-le.

— Que veux-tu dire ?

A ce moment Vatia rugit quelque chose à l'oreille d'Odbjœrn, qu'il empoigna et tira derrière lui.

— L'empereur arrive, cria-t-il. Il t'a vu conduire. Tu entends ?

Mais Odbjœrn se dégagea et se pencha à nouveau vers le mourant.

— Quelle est ton intention en me faisant cadeau de l'étalon ? Réponds-moi...

— Il est mort, dit Vatia, et il fit signe à deux esclaves. Portez-le dans l'écurie et fermez la porte.

Vatia mit la main sur l'épaule d'Odbjœrn.

— Lève-toi, dit-il. Redresse-toi... L'empereur Auguste arrive...

CHAPITRE XIV

Il y aurait bientôt un an qu'un cavalier était arrivé sur le mont Palatin, apportant la nouvelle du désastre de Varus dans les lointaines forêts de Germanie.

Toute la nuit on avait entendu l'empereur appeler son gouverneur mort et lui ordonner de lui rendre ses légions. On avait même craint que le vieillard n'eût l'esprit dérangé. Depuis ce jour, l'empereur Auguste ne s'était pas montré dans le cirque Maximus.

Mais aujourd'hui, rompant avec cette habitude, il était descendu par les escaliers de marbre et avait posé la couronne de la victoire sur le front d'Odbjœrn.

On lisait le nom du garçon sur les tableaux de victoire qui avaient été affichés le lendemain au Forum. Et ce nom était sur toutes les lèvres.

Les cadeaux affluaient, couvrant le plancher de la demeure où Odbjœrn avait été installé.

Des bijoux précieux. Des courroies de cuir dorées. Des poignards au manche d'argent Des tuniques et des toges. Des piles de tissus. Et, au milieu de tout ce bric-à-brac, de gros sacs de peau bourrés de pièces d'or et d'argent.

Odbjœrn était maintenant de toutes les fêtes. Odbjœrn portait des vêtements élégants et restait allongé à la table des maisons patriciennes. Il faisait l'expérience de la richesse et de la renommée ; du bonheur qu'il était venu chercher si loin.

Etre célèbre lui prenait une bonne partie de son temps. L'entraînement et les courses, tout le reste. Mais, dans l'ivresse de la victoire, il n'oubliait pas que les jours s'écoulaient et qu'il ne devrait pas tarder à partir, s'il voulait arriver à temps.

Il racheta le morceau d'ambre. Entre les mains de Vatia, l'objet avait doublé de prix. Mais Odbjœrn voulait le ramener à Thorkim pour lui rappeler sa félonie.

Le jeune homme commanda sa *liburna* à deux rangées d'avirons au constructeur de navires Nauklerus, à Ostia.

Metellus avait quitté Rome aussitôt après sa défaite. On disait qu'il était parti dans un des grands haras de la

Sicile, où il choisissait les chevaux les plus rapides en les essayant toute la journée sur les routes du pays.

Et, pendant que Metellus préparait ainsi les courses saturnales, l'écurie verte engageait sous ses couleurs des cochers venus du monde entier.

Vatia se doutait bien que les Verts essaieraient de se débarrasser d'Odbjœrn. Pas ouvertement, mais en cachette. Une roue pourrait se casser pendant la course, si d'avance on avait scié la moitié des rayons. Une pierre pourrait tomber d'un toit et malheureusement atteindre le jeune homme à la tête.

Vatia débordait de sollicitude pour la santé de son ancien esclave. Il mit deux hommes solides à veiller sur sa vie et ses membres. Mais le jeune garçon, jaloux de sa liberté, apprit bien vite à se défaire d'eux... sans s'apercevoir qu'une silhouette mystérieuse, vêtue d'une cape couleur de terre, le suivait nuit et jour comme une ombre.

Une nuit, Lurco, l'esclave d'écurie que Vatia avait mis au service d'Odbjœrn, fut réveillé par un bruit de pas sur la paille.

Se mettant sur son séant, il aperçut devant lui, appuyé contre le pilier d'une stalle, cet homme qui le regardait fixement.

— Où est Odbjœrn ? demanda l'inconnu.

Sa voix avait une résonance sourde, comme si elle avait émané d'un puits profond.

Lurco enfonça un doigt dans son oreille.

— Tu n'entends pas bien ?

— Si, si, mais, mais j'ai du mal à répondre, car j'ignore

où il est. Je... Il rentrera bientôt. Dans un instant.

— Alors j'attendrai.

L'étranger s'assit sur la litière.

Lurco s'éloigna un peu. Mille pensées troublées lui traversaient la tête. Pourquoi l'inconnu voulait-il voir le champion ? Il décida que, dès que celui-ci serait rentré, il grimperait l'escalier de l'écurie quatre à quatre pour l'avertir.

L'homme au capuchon restait penché en avant, comme s'il avait dormi. De longues mèches grises sortaient de son capuchon.

— Portes-tu des armes ? demanda Lurco.

— Pourquoi cette question ?

— Aucune personne portant des armes ne doit entrer chez Odbjœrn.

— Autrefois, il n'avait pas peur de fréquenter des gens armés, répliqua l'inconnu.

Puis, sans avoir répondu à la question de l'esclave, il se mit à l'interroger : Odbjœrn se proposait-il de retourner dans le nord ? Etait-ce pour cela qu'il faisait construire un bateau ?

— Je n'en sais rien, grommela Lurco, de plus en plus sur la défensive. J'ignore ton nom et...

Il se tut soudain.

Une porte avait grincé. Au même instant, des pas résonnèrent sur le plancher.

L'esclave s'élança vers l'escalier, mais, au moment même où il en atteignait les premières marches, il entendit un terrible tapage au-dessus de sa tête. Puis quelque chose qui tombait par terre avec un bruit sourd.

Lurco se retourna.

— De la prudence, murmura l'homme au capuchon, dont les joues creuses avaient pâli.

Ils montèrent l'escalier à pas feutrés.

L'esclave posa sa tête contre la trappe.

Lentement, très lentement, il tendit le cou, jusqu'au moment où une fine ligne de lumière apparut au ras de l'ouverture.

Lorsqu'il jeta un coup d'œil par cette fente, il faillit perdre le souffle, car là, sur le plancher, il vit Odbjœrn, les pieds liés à ses bras attachés derrière le dos.

Un grand gaillard était en train de le bâillonner tandis qu'un groupe d'individus entouraient la victime et le regardaient en silence.

Lurco ne voyait que leurs pieds et les lanières de leurs sandales. Leurs jambes formaient comme une barrière de poteaux autour du garçon.

L'esclave compta six hommes, mais il y en avait probablement d'autres qu'il ne pouvait voir. Celui qui était penché sur Odbjœrn se leva et, se tournant vers ses compagnons, murmura :

— Il faut qu'on puisse croire qu'il s'est enfui. Vous comprenez? Donc lui et le navire doivent disparaître. Et, par Jupiter et sa bande de dieux, gare à vous si vous faites des bêtises! Son bateau est à quai, au sud du chantier de Nauklerus. Vous le jetterez à bord, vous ferez un trou dans les planches du fond et vous mettrez les voiles. Vous tournerez ensuite le gouvernail de façon que le navire passe entre les môles et ne sombre qu'une fois hors du port.

QUAND LES FEUX BRULERONT

— Et le vent, Laelius? demanda une grosse voix. As-tu aussi tourné le vent du bon côté?

— Epargne-nous tes plaisanteries, veux-tu! Le vent souffle comme il doit le faire. Droit vers l'ouest. Vite, maintenant! Empoignez-le.

Lurco baissa la tête et referma la trappe.

— Ils veulent le noyer, murmura-t-il, le souffle coupé. Les Verts veulent s'en débarrasser avant la course saturnale. Il faut prévenir Vatia. Il faut...

Soudain, Lurco pensa qu'il n'était pas seul. Il se retourna vivement et s'aperçut avec stupeur que l'homme au capuchon avait déjà disparu.

— Il était de connivence, murmura-t-il dans sa barbe. J'aurais dû m'en douter. Fasse le ciel que Vatia ne le sache pas! Fasse le ciel...

CHAPITRE XV

Les gardes de la porte avaient depuis longtemps entendu le chariot cahoter à travers les rues silencieuses. Ils le voyaient maintenant surgir de l'obscurité et approcher. La nuit étant sans lune, ils ne remarquèrent pas qu'une dizaine de cavaliers se cachaient pendant ce temps-là derrière la pyramide de Cestius.

Les soldats s'avancèrent vers la charrette, la hampe de leur lance posée transversalement sur leurs cuisses.

— Espèce de rustaud, tu veux donc réveiller toute la ville avec ta guimbarde? cria l'un d'eux.

— Ceux que je n'ai pas réussi à réveiller se réveilleront certainement en t'entendant beugler, répondit le paysan.

Il restait tassé sur son siège, le dos rond, et parlait sans se retourner.

— Attention à ce que tu dis. Tu sais qu'on ne doit pas circuler en voiture la nuit.

Le garde passa derrière la carriole et souleva la bâche.

— Qu'est-ce que tu rapportes? demanda-t-il.

— De la paille, répondit le cocher.

Le légionnaire recula d'un bond. Quelque chose avait remué. Il lui semblait avoir entendu un gémissement à demi étouffé.

— Tu transportes des bêtes vivantes?

Le garde mit la pointe de sa lance sous le menton de l'homme, le forçant à lever la tête.

— Il y a quelque chose qui remue dans la paille, affirma-t-il.

— Ce sont probablement les poux qui s'y prélassent, bougonna le paysan.

Il restait immobile, le dos courbé. Le garde frissonna, le trouvant sinistre.

— Pars, cria-t-il. Décampe!

Il recula d'un pas quand la mule se mit soudain en route, sans que le cocher eût prononcé un mot ni touché aux rênes.

Les gardes suivirent la charrette des yeux jusqu'au moment où elle disparut dans l'obscurité de la via Ostia.

QUAND LES FEUX BRULERONT

Ils entendirent les roues cahoter sur les pavés du pont, puis rouler doucement sur le gravier de la grand-route.

Au même instant, ils perçurent un bruit de galop derrière eux. Ils eurent juste le temps de s'abriter le long du mur tandis qu'une dizaine d'ombres noires franchissaient la porte avant de disparaître sur la grand-route.

La voiture s'arrêta un peu avant d'arriver à Ostia.

Le cocher échangea quelques paroles avec les cavaliers, et presque aussitôt Odbjœrn les entendit s'éloigner.

Ils revinrent un instant plus tard et montèrent dans le chariot. Le garçon devina qu'ils avaient atteint le grand lac devant la porte de la ville.

La voiture se remit en marche et roula bruyamment sur les blocs de pierre dont les rues étaient pavées. Un instant seulement, puis elle se dirigea au nord, vers le port d'Auguste.

Passé les entrepôts, elle tourna à droite de l'*Auberge des Esclaves*. Pendant un long moment, elle avança le long du quai. Puis elle s'arrêta. Les hommes remuèrent.

— Attendez un peu!

Les doigts du cocher se promenèrent à tâtons sur la bâche.

— Restez tranquilles, ajouta-t-il. J'ai vu quelque chose remuer près du chantier.

Les hommes tendirent l'oreille en retenant leur souffle.

Sous la bâche, Odbjœrn entendait le vent siffler dans les agrès de son navire et les vagues clapoter le long de ses flancs. Il se sentait seul et angoissé, il avait froid.

— Vite maintenant, murmura le cocher.

QUAND LES FEUX BRULERONT

Les hommes sautèrent à bas de la voiture. Deux d'entre eux traînèrent Odbjœrn, toujours garrotté, jusqu'au bateau et le firent glisser par-dessus le plat-bord. D'où il gisait, il les voyait aller et venir sur le pont comme des ombres silencieuses et affairées.

La lune sortit d'entre les nuages déchiquetés, telle une pièce d'argent s'échappant d'une bourse trouée.

— C'est bientôt fini? s'impatienta le cocher, qui semblait être le chef de cette sinistre expédition.

Il lança un regard inquiet en direction du quai.

— Je viens d'attacher le gouvernail, vint bientôt annoncer l'un de ses complices.

L'homme eut un soupir de soulagement.

— Bon. Descends le gamin sous le pont et mettez vite à la voile, ordonna-t-il.

Ils avaient jeté Odbjœrn sur le banc de nage placé le plus bas, et l'un des assassins avait fait un grand trou dans les planches du fond jusqu'au moment où l'eau avait jailli en cascade. Alors ils avaient tous disparu par l'échelle.

La lumière de la lune tombait de biais par l'écoutille. Devant l'escalier, elle se reflétait dans l'eau qui commençait à monter et luisait comme du goudron fondu.

Odbjœrn entendit un grincement le long du mât. Quand le vent gonfla la voile et que le bateau s'inclina, il dut se tortiller pour ne pas dégringoler du banc. Au même instant, le jeune homme entendit des pas précipités sur le pont. Comme une averse.

Et soudain ce fut le silence.

Ils avaient jeté Odbjærn sur le banc de nage...

Un gargouillement lui parvenait de l'endroit où il y avait un trou dans les planches, et les mouvements du navire lui indiquaient qu'il allait à la dérive. Il voguait vers le large et s'enfonçait dans l'obscurité déserte, tout en sombrant lentement.

Les Romains racontaient que le passeur Charon faisait traverser le Styx aux morts qui arrivaient dans le royaume des Enfers. Odbjœrn s'en souvenait maintenant. Ils racontaient aussi qu'on mettait une pièce de monnaie dans la bouche du défunt. Le prix du passage. Le même silence devait régner sur la barque de Charon, la même obscurité.

Le garçon restait immobile, les yeux fermés. L'humidité dessinait un trait brillant qui joignait ses cils aux commissures de ses lèvres. Le goût en était amer et salé sur sa langue.

Des secousses ébranlèrent le bâtiment, qui se mit à tanguer.

« Il arrive en pleine mer », pensa Odbjœrn.

Le jeune homme tourna la tête et vit que l'eau était sur le point d'atteindre la quatrième marche de l'escalier. Il ferma les yeux, essayant de rêver qu'il était de retour dans son pays. Aslak et Ketil étaient certainement en train de se chamailler paisiblement devant la hutte. Et Tova faisait cliqueter les marmites et les broches. Odbjœrn pensait à cette femme, qui avait tenu pour lui la place d'une mère. Le jour où il avait franchi en vainqueur la ligne d'arrivée au cirque Maximus, c'était Groa qu'il avait évoquée dans ses pensées. A présent, en proie à l'angoisse, il appelait l'esclave Tova.

— Tova, murmura-t-il.

Et Tova lâchait la marmite et la broche et accourait à son secours.

Mais ce n'était pas le cliquetis de la broche contre la pierre du foyer qu'il avait entendu. C'était l'eau... L'eau qui se glissait sous le banc de nage avec un bruit pâteux. L'eau qui montait à travers les fentes des planches et trempait ses vêtements. Dans peu de temps...

Qu'était-ce? Il venait d'entendre quelque chose remuer au-dessus de sa tête. Oui, oui, il ne pouvait s'y tromper. De nouveau un bruit. Des pas traînants.

Il vit soudain une ombre passer devant l'écoutille. La lumière de la lune disparut et il aperçut deux jambes longues et maigres qui cherchaient l'échelle à tâtons. Des pieds chaussés de peau descendirent quelques marches et s'arrêtèrent.

Odbjœrn cria, mais aucun son ne franchit sa bouche bâillonnée.

Il se tourna et se retourna. Son corps glissa par-dessus le bord du siège. Il essaya bien de se jeter sur la planche à débarquer, mais elle se déroba sous son poids...

Quelques instants auparavant, un homme au dos voûté et portant une cape couleur de terre était sorti d'un énorme tonneau amarré au pied du mât. Il avait d'abord erré sur le pont comme une âme en peine, étrange fantôme de ce bateau sans pilote qui lentement voguait vers la mort. Puis il s'était glissé sous l'échafaudage de chêne doré qui soutenait la passerelle de commandement. Longtemps il avait cherché entre les poteaux. Puis il avait couru sur la proue, ouvert les écoutilles et descendu l'escalier.

— Odbjœrn, avait-il crié, Odbjœrn!

Lassé, désespéré, il attendait maintenant l'inévitable. Une vague passa par-dessus le plat-bord. Le navire s'enfonçait de plus en plus. L'eau pénétrait par les nables. Dans un instant il sombrerait.

L'homme, malgré tout, voulut tenter un suprême effort et entreprit de descendre jusqu'aux bancs de nage. Ce n'était pas là chose facile. Dès qu'il eut mis le pied sur l'échelle, il vit que l'eau atteignait presque le pont supérieur.

Au même instant, il entendit un « plouf », tressaillit, descendit encore quelques échelons en barbotant et eut juste le temps d'entrevoir un paquet se retourner et couler. Il se lança alors en avant et saisit ce paquet qui avait forme humaine.

A peine eut-il coupé les liens et libéré Odbjœrn que la mer passa par-dessus le plat-bord et déferla sur le pont comme une cataracte. Le navire sombrait.

Les membres du garçon étaient engourdis, mais l'homme au capuchon le poussa dans les masses d'eau écumante. Il l'y suivit et le saisit par les lambeaux de sa tunique.

Ils luttèrent avec désespoir pour ne pas se laisser engloutir avec le bateau. Les remous s'apaisèrent soudain, et lorsqu'ils se retournèrent ils virent, à leur surprise, la mer qui s'étendait calme et lisse derrière eux.

Le navire avait disparu, mais l'échafaudage de la passerelle de commandement émergeait encore.

QUAND LES FEUX BRULERONT

Ils y grimpèrent. Odbjœrn s'étira et reprit son souffle.
Peu à peu il retrouvait ses esprits. La frayeur le lâcha
et il prit lentement conscience d'avoir la vie sauve.

Quand il se retourna et vit l'inconnu, il tressaillit.
L'angoisse revint.

— Qui es-tu?

Il claquait si fort des dents que ses paroles en étaient
saccadées. Il s'assit et s'écarta de l'étranger.

— Moi, je suis le passeur Charon, murmura l'homme.

Odbjœrn l'avait bien pensé, Charon devait avoir cette
tête-là. A cet instant précis, un rire sortit du capuchon.
Un rire semblable à un gloussement. Il tendit l'oreille.
Non, ce n'était pas Charon.

QUAND LES FEUX BRULERONT

L'inconnu avait dû l'entendre murmurer le nom du passeur dans son délire et avait trouvé amusant de jouer le jeu jusqu'au bout.

Mais qui était-ce? Le garçon avait déjà entendu ce rire... il y avait très longtemps.

— Attends un peu, cria-t-il, le souffle coupé. Je connais ta voix. Parle encore... Prononce quelques mots.

L'étranger toussota.

— Je peux répéter ce que j'ai dit autrefois à ton père Torvik. Torvik, lui ai-je dit, avant la nouvelle lune je reviendrai vous chercher, ton fils et toi. Je le jure...

— Ulver, cria Odbjœrn en lui arrachant son capuchon.

La lune mettait des ombres noires dans les orbites et

dans les rides profondes de ses joues maigres. Mais c'était Ulver.

— C'est toi, Ulver, dit-il en riant et en le secouant par les épaules.

Soudain sa voix se fit grave :

— Pourquoi n'es-tu pas revenu? Non, non, je ne te reproche rien. Tu as certainement été empêché de tenir ta parole. Mais vite..., raconte-moi ce qui vous est arrivé, à toi et aux autres, quand vous êtes partis à la poursuite de la flotte romaine.

Et Ulver raconta.

Les Romains avaient pris son bateau entre deux des leurs, comme entre les mâchoires d'un monstre marin, et s'étaient emparés de l'équipage.

Lui et trois de ses hommes avaient été vendus à des marchands d'esclaves britanniques. Pendant un an ils avaient travaillé dans les mines d'étain. Ulver avait finalement réussi à fuir par une mer étroite dans un pays appelé la Gaule.

Odbjœrn avait entendu parler de ce pays-là.

— Et puis? demanda-t-il.

Eh bien, Ulver avait erré quelque temps au hasard, jusqu'au moment où la faim l'avait poussé à s'engager dans les troupes germaniques inféodées aux Romains. Quand sa section avait été transférée à Rome, il était entré dans la garde impériale. Il était monté en grade et avait fini centurion.

— Après le désastre de Varus, continua Ulver, Auguste a licencié sa garde germaine. Depuis, j'ai vivoté comme berger et comme ravaudeur de sandales. J'ai même nourri des animaux d'augures près des temples.

Le vieux Cimbre avait souvent pensé à Torvik et Odbjœrn et à la promesse qu'il leur avait faite. Un jour, il s'était mis en route vers le nord. Mais, en arrivant au lac Sabatinus, il avait été frappé par l'idée qu'une vie humaine ne suffirait pas pour une si longue marche. Du coup, il avait fait demi-tour, et s'était enrôlé comme rameur sur un chaland transportant du blé d'Ostia à Rome.

— Actuellement, poursuivit-il, je travaille chez un fabricant de boucliers et j'habite une petite maison derrière les thermes municipaux.

Ulver se gratta la joue et, gêné, se détourna un peu pour ajouter :

— J'ai aussi adopté deux enfants, deux orphelins. Aujourd'hui, ils doivent avoir une quinzaine d'années. Leurs parents étaient cimbres.

Odbjœrn sourit.

— Comment as-tu fait pour me retrouver ? demanda-t-il.

Le vieux nautonier haussa les épaules.

— Tu es célèbre, murmura-t-il.

— Mais je suis esclave, répondit sombrement Odbjœrn. Et il semble que je le resterai longtemps encore. Maintenant que mon navire a sombré, je ne vois pas d'autres moyens de rentrer chez nous pour le sacrifice du printemps.

— Le sacrifice du printemps ?

Ulver tourna la tête et le regarda d'un air interrogateur.

QUAND LES FEUX BRULERONT

Le garçon lui parla de la rivalité qui l'opposait à Thorkim, et lui expliqua que celui des deux qui se présenterait avec le plus grand nombre de guerriers sur la plaine du ting aurait Groa pour femme.

— Nous y arriverons! s'écria le nautonier. Prends courage.

— Dans six jours auront lieu les courses saturnales, rappela Odbjœrn...

Il se tut brusquement.

— Ecoute, murmura-t-il. Ce bruit d'avirons... Et regarde! Cette barque...

— Les Verts, sans doute, qui viennent s'assurer que ta galère est bien au fond, grogna Ulver.

D'un même mouvement, ils s'étaient aplatis tous deux sur les planches mouillées et suivaient en silence la barque qui, lentement, approchait. Lorsqu'elle ne fut plus qu'à quelques encablures du navire englouti, Odbjœrn distingua, debout à sa poupe, une forme humaine qu'il reconnut aussitôt.

— Vatia! appela-t-il.

— Odbjœrn!

L'homme, dans la barque, leva ses bras courts vers le ciel, comme s'il avait voulu saisir la lune.

CHAPITRE XVI

LA voiture qui les ramenait à Rome était escortée par une vingtaine de cavaliers de l'écurie rouge.

Vatia avait sauvé son meilleur cocher, Vatia bavardait et riait et jurait que les dieux allaient se venger des Verts et de tout ce qui était vert.

Il tendit sa main dans l'obscurité et s'assura que le garçon était toujours assis à côté de lui. Tranquillisé, il se laissa tomber sur les coussins.

QUAND LES FEUX BRULERONT

Ils arrivèrent à Rome et franchirent l'immense porche voûté qui donnait accès au cirque Maximus. Vatia voulait absolument voir Odbjœrn à la lumière. Voir si son corps et ses membres étaient intacts. On envoya un homme lui chercher des vêtements secs. Et... de la lumière..., de la lumière, criait Vatia.

Il appela le chef des valets d'écurie.

— Fais surveiller toutes les entrées, lui ordonna-t-il. A partir d'aujourd'hui jusqu'aux courses saturnales, six hommes monteront la garde. Trois près des chevaux et trois devant la porte de notre champion. Compris?

Le chef leva la main pour le saluer et disparut.

— Du vin sur la table, cria encore Vatia. Du vin de Falerne de la meilleure année.

Il se tourna vers le garçon en se frottant les mains pour les réchauffer, et il rit si fort que ses grosses joues cachèrent ses oreilles.

— Et maintenant...

Eh bien, maintenant Odbjœrn trouvait l'occasion de dire à Vatia que la course saturnale serait la dernière qu'il ferait pour l'écurie rouge.

Vatia cessa de se frotter les mains. Son sourire disparut. Odbjœrn aurait bien voulu le faire revenir. Il parla à Vatia de Groa, de Thorkim et de l'engagement qui rendait nécessaire sa présence sur la plaine du ting avant le sacrifice du printemps.

Il expliqua tout cela pour faire comprendre au Romain qu'il ne pouvait en être autrement.

Mais le visage de Vatia demeura sombre et sinistre comme un ciel d'orage.

QUAND LES FEUX BRULERONT

Quand Odbjœrn se tut, le gros homme s'approcha de lui et grommela :

— N'oublie pas que tu es un esclave. Je t'ai payé. Ne l'oublie pas.

— J'ai assez d'argent pour acheter ma liberté.

— C'est vrai. Mais je ne vends pas, dit méchamment Vatia.

Soudain il changea de tactique. Sa voix se fit douce et bienveillante, et il dit qu'en étant raisonnable Odbjœrn deviendrait un des hommes les plus riches de Rome, applaudi et idolâtré par tout le monde. Sa statue de bronze se dresserait bientôt sous les arcades du cirque. Il pourrait s'acheter une propriété à Baïes, ce qui lui permettrait l'été de fuir la chaleur étouffante de la grande ville pour s'installer dans un palais au bord de la mer. Et s'il était question d'une fiancée...

Vatia cligna des yeux d'un air cajoleur.

Ma foi, les filles les plus belles de Rome se disputeraient ses faveurs.

Mais Odbjœrn tenait bon. Après la course des Saturnales, il voulait retourner dans son pays. Il était déjà grand temps.

Vatia changea encore de ton. Jurant et criant, il allait et venait au pas de charge. Les lumières vacillaient comme des éclairs dans les ombres qui passaient sur le plancher. Les esclaves, apeurés, se serraient contre les murs ou s'abritaient derrière les piliers.

Les heures passaient.

Vatia menaçait. Vatia implorait.

Mais Odbjœrn ne se laissait pas fléchir.

Et la fin de la nuit arriva. La lumière grise du jour filtra par l'étroite ouverture du mur.

— Jusqu'alors j'ai essayé de te convaincre par la douceur, dit le Romain en s'arrêtant devant lui. A partir de maintenant et jusqu'au mois de mars, je te ferai enfermer.

Odbjœrn tressaillit. Ses yeux cherchèrent la porte. Dès que son maître eut levé la main, le gardien chef, qui se tenait de l'autre côté, appela ses hommes.

— Réfléchis une dernière fois, cria Vatia.

— Si tu m'enfermes, je ne conduirai pas pour les Saturnales, répondit Odbjœrn.

— Tu conduiras quand même. (Le Romain eut un rire menaçant.) Nous verrons... Saisissez-le!

Les gardiens se jetèrent sur le garçon. On lui plia les jambes.

— Attention, ordonna Vatia. Ne lui cassez rien. C'est ça. Transportez-le maintenant dans les écuries.

Il prit le gardien chef à part et lui murmura quelques mots.

Ils virent cet homme reculer d'un pas et adresser un regard troublé à son maître.

— Tu veux dire que...?

— Je veux dire ce que tu m'as entendu dire, gronda Vatia. Veille à ce que personne ne le voie disparaître.

Ils avaient eu beau nouer un tissu noir devant ses yeux, Odbjœrn sut que la voiture s'arrêtait dans la cour, devant l'écurie.

Et quand la porte grinça et que la paille crissa sous

leurs pieds, il se rendit compte qu'on le portait le long des stalles. Un instant après, ses gardiens descendirent péniblement l'escalier de la cave. Une odeur à la fois âcre et douceâtre lui prouva qu'il devinait juste.

Il s'étonnait qu'on se fût donné la peine de lui bander

les yeux quand brusquement l'idée lui vint que la cave n'était pas si grande que ça. Ils auraient dû depuis long-temps heurter le mur, et pourtant ils continuaient à marcher. Et à chaque instant ils changeaient de direction.

A un endroit il y eut une pente escarpée, où deux hommes trébuchèrent, l'entraînant dans leur chute. Puis ils se relevèrent et s'arrêtèrent. Il entendit quelqu'un pousser un verrou. Des poings rudes empoignèrent sa nuque et pressèrent son front contre ses genoux. Après l'avoir fait entrer avec peine au fond d'un trou étroit, on arracha le chiffon qui lui bandait les yeux et l'on ferma une grille.

Au commencement, il fut aveuglé par la lumière de la lampe à huile, mais il recouvra peu à peu la vue. Il se trouvait dans un passage revêtu de pierre, qui avait la forme d'un tuyau géant. L'humidité dégouttait du plafond arrondi et coulait le long des parois.

— Passe le nez entre les barreaux, Odbjœrn. Regarde autour de toi.

La voix de Vatia résonna dans l'obscurité. En serrant sa joue contre son genou, le garçon entrevit les courroies des sandales sur les pieds de son maître.

— Tu es dans l'un des égouts de Rome, murmura celui-ci. L'air n'est pas trop irrespirable. Peut-être un peu moisi, voilà tout... Je peux te dire que les immondices ne prennent plus ce chemin... Mais s'il y a une forte averse, l'eau monte, Odbjœrn. Jusqu'au plafond.

Vatia renversa la tête et regarda la voûte de pierre. Son double menton alla presque rejoindre sa nuque de taureau.

— Espérons que nous n'aurons pas de pluie. Espérons-le.

Il s'accroupit et regarda le garçon dans les yeux. Le sourire sur sa large bouche avait disparu.

— Tu pourras crier de faim, tant que tu voudras. Personne ne t'entendra. Seul ton bon sens peut te procurer à manger. Cela t'inspire-t-il l'envie de conduire à la course saturnale?

QUAND LES FEUX BRULERONT

— Seulement si tu me laisses partir une fois la course finie, gémit Odbjœrn.

Vatia pouffa de rire. Un écho moqueur lui répondit.

— Et si les Romains te demandent où je suis?

— Eh bien, je répondrai que je t'ai envoyé dans un endroit sûr et inconnu. Et si tu ne parais pas à la course, je dirai que nos ennemis t'ont supprimé. Les Romains t'oublieront, Odbjœrn. Et moi aussi, je t'oublierai. Un jour la pluie viendra t'emporter dans le Tibre. On trouvera ton cadavre quelque part sur la rive du fleuve. Et personne ne se rappellera que c'était toi qui avais battu Metellus.

Vatia se releva.

Le bruit de ses pas finit par s'éteindre. Et au loin, au loin, une porte se referma.

Odbjœrn restait seul dans l'obscurité. Plié en deux entre d'énormes blocs, il entendait les gouttes d'eau tomber à terre. Sans arrêt. Ce fut d'abord un bruit faible, mais qui dans ses oreilles augmenta de force et lui donna bientôt l'impression de coups assourdissants contre le sol de pierre.

La course saturnale aurait lieu dans quatre jours..., trois jours... Et puis il n'en resta que deux.

La faim tordait les entrailles d'Odbjœrn. Des douleurs lancinantes assiégeaient son corps ployé. Il avait l'impression de porter la voûte de l'égout sur ses épaules.

Vatia descendait le voir souvent. La flamme vacillante de sa lampe à huile, comme un soleil levant, faisait rougeoyer les parois moisies.

— Es-tu devenu raisonnable? avait-il coutume de demander. Fais la course, mon garçon, et je te relâche aussitôt.

— Et après la course, pourrai-je partir? gémissait Odbjœrn.

La réponse ne variait pas.

— Tu dois rester à Rome ou mourir.

Une nuit, dans le délire fiévreux de la faim, Odbjœrn eut une étrange vision. Il était debout dans son char. La piste du cirque tournait autour de lui à une vitesse vertigineuse, mais les chevaux et le char lui-même restaient sur place, curieusement immobiles...

Puis, sans trop comprendre comment, avec cette logique propre aux rêves, le garçon se retrouva assis dans un bateau et ramant de toutes ses forces, comme si sa vie eût été en jeu. Un courant impétueux menaçait à chaque instant d'emporter son frêle esquif.

Odbjœrn ferma les yeux. Lorsqu'il les rouvrit, la piste s'étendait à nouveau devant lui. Elle ne décrivait pas de courbes autour des bornes, mais se dirigeait droit sur l'une des quatre portes principales du cirque. Ses chevaux allaient un train d'enfer, soulevant des nuages de poussière sous leurs sabots ferrés d'argent. Le jeune homme frissonna. Une boule monta de son ventre et vint se loger dans le fond de sa gorge. Dans un instant, le quadrige s'écraserait contre la porte fermée. Mais, au moment même où Odbjœrn se préparait à mourir, il vit les lourds vantaux de bois s'ouvrir. Les chevaux et le char s'engouffrèrent sous la voûte...

QUAND LES FEUX BRULERONT

D'un seul coup, il s'éveilla. Le rêve s'évanouit aussitôt, mais d'étranges visions continuèrent pendant un certain temps à peupler l'obscurité de son cachot. Des montagnes, des fleuves, des forêts, des rangées infinies d'arbres aux écorces noueuses glissaient devant les barreaux de fer

qui fermaient sa prison. Il entendait le bruissement du vent dans les cimes. Ce bruit grandissait, s'amplifiait, se transformait peu à peu pour ressembler au fracas que fait la mer démontée en fouettant le sable des grèves...

Odbjœrn était debout sur une colline couverte de bruyère, et loin, très loin, il apercevait la demeure de Hugwa. Avec son toit courbe, elle ressemblait à un taureau couché...

QUAND LES FEUX BRULERONT

A cet instant, le prisonnier entendit une voix. Il se demanda s'il ne s'agissait pas encore d'un rêve. Non! Il n'y avait pas à s'y tromper. Quelqu'un l'appelait dans la nuit. Et cette voix sonnait comme une corne de détresse.

Pendant trois jours, Ulver chercha vainement Odbjœrn. Les esclaves d'écurie qu'il interrogeait savaient seulement que le garçon avait été sauvé d'un bateau en perdition au large d'Ostia. Certains l'avaient vu ou croyaient l'avoir vu arriver au cirque.

L'empressement même d'Ulver à leur poser des questions les effrayait. Leurs regards se dérobaient. Ce devait être un autre qu'ils avaient vu. Il ne fallait pas oublier que la porte était faiblement éclairée. D'où cette confusion. Non, ils ne savaient rien.

Ulver pouvait suivre Odbjœrn d'Ostia jusqu'au moment où il avait disparu sans laisser de traces sous le porche du cirque Maximus. Mais là, dans cette pénombre propice à tous les crimes, il s'était passé quelque chose que personne ne voulait lui raconter.

« Si je pouvais au moins mettre la main sur Lurco! pensait Ulver. Lui doit savoir. Quelques sesterces auraient tôt fait de lui délier la langue. »

Lurco ne travaillait plus aux écuries. Le vieux Cimbre tenait ce renseignement de Manlius, son remplaçant. Après le rapt d'Odbjœrn par les Verts, Vatia, qui lui avait reproché de n'avoir pas donné l'alarme assez rapidement, l'avait fait enfermer pendant deux jours dans un ergastule et lui avait fait casser une paire de bâtons sur les reins.

QUAND LES FEUX BRULERONT

Ulver finit par retrouver l'esclave non loin des écuries, mais condamné par Vatia à tourner pratiquement sans répit la lourde meule qui servait à broyer le grain destiné à la suralimentation des chevaux de course.

C'était la nuit. Lurco traversait la cour pour regagner sa misérable cellule de terre battue. Le vieux nautonier emboîta le pas à l'esclave et l'interpella. Il vit aussitôt sur le visage de Lurco que celui-ci savait quelque chose qui pourrait peut-être l'aider à résoudre l'énigme de la mystérieuse disparition d'Odbjœrn.

— Lurco, je ne répéterai pas un mot. Je te le promets...

L'esclave se retourna brusquement et mit quelques instants à reconnaître son interlocuteur.

— C'est toi, gémit-il, qui es la cause de tous mes malheurs...

Le nautonier haussa les épaules.

— Sans moi, Odbjœrn, à l'heure qu'il est, servirait de nourriture aux poissons. Tu le sais. Alors, parle! Que lui est-il arrivé?

— Vatia l'a enfermé, grogna Lurco, de mauvaise grâce.

Ulver alla sous l'appentis qui occupait tout un côté de la cour et fit pleuvoir ses brillants sesterces au fond d'un char qui s'y trouvait remisé. Un monceau d'argent! Tout ce que le Cimbre avait économisé au service de l'empereur.

L'esclave ne put s'empêcher de lorgner dans cette direction. Il y aurait là de quoi acheter largement sa liberté. Il s'approcha, s'arrêta et regarda avec deux yeux malades d'envie toutes les pièces d'Ulver. Assis sur le timon du char, celui-ci continuait à faire négligemment des piles de dix et de vingt. Il fit rouler un sesterce entre les pieds de Lurco.

— Où donc Vatia l'a-t-il traîné? demanda-t-il.

L'esclave ramassa la pièce et la glissa sous sa tunique trouée.

— Dans l'écurie, murmura-t-il.

— Nous voici jusque-là, reprit Ulver d'un ton bonhomme. Essayons d'aller plus loin! Attrape!

Il lança une nouvelle pièce.

— Puis Vatia l'a fait porter dans la cave, gémit Lurco.

— Ecoute, l'ami, s'impatienta le nautonier. Presse-toi. Sinon la fortune risque de te passer sous le nez...

— La cave qui mène aux égouts souterrains, balbutia l'esclave qui, fasciné par les pièces, avait perdu toute prudence.

— Dans les égouts!

Ulver bondit sur ses jambes.

— Lurco! Si tu te dépêches de m'expliquer où se trouvent ces égouts, ce tas d'argent est à toi. Mais vite!

— Ici..., ce devrait être par ici, murmura Lurco. Voici la grille du puits.

— Ne fais pas de bruit, quelqu'un vient, souffla Ulver en lui saisissant le bras.

Ils écoutèrent en silence. Ils entendirent des pas qui approchaient, s'arrêtaient, puis repartaient. Le bruit s'éteignit quelque part dans les rues obscures et désertes.

— Comment peux-tu savoir que c'est justement ici, sous cette maudite rue, qu'il est enfermé? s'inquiéta Ulver.

QUAND LES FEUX BRULERONT

— Aie confiance, souffla l'esclave. J'ai accepté ton argent. Ne me le fais pas regretter. Odbjœrn est retenu prisonnier dans une conduite qui relie un ancien temple à l'égout principal. Cet égout descend vers le forum Holitorium. Mais quelques coudées plus loin il quitte la

rue du Fleuve et suit la ruelle des Soldats. C'est là, à l'endroit où il se courbe, que s'y rattache le conduit plus petit et désaffecté dans lequel on a enfermé ton ami.

Lurco empoigna les barreaux de la grille et la poussa. Ils restèrent un moment immobiles, tendant l'oreille, puis Ulver se coucha et mit les mains en cornet devant sa bouche.

— Odbjœrn, appela-t-il.

Un écho sourd résonna dans l'excavation.

— Pas si fort! gémit l'esclave. Tu vas réveiller toute la ville.

— Si tu es capable d'appeler en faisant moins de bruit, fais-le, grogna Ulver.

Odbjœrn n'avait plus aucun doute. C'était la voix d'Ulver qui résonnait à ses oreilles.

— Ulver, cria-t-il, t'a-t-on enfermé aussi?

Soudain, le rêve qu'il venait de faire lui revint en mémoire, ce rêve de la piste qui ne s'incurvait pas mais conduisait droit sur une porte. Il tressaillit et se cogna la nuque contre un bloc de pierre.

— Ulver, reprit-il. Où es-tu?

Il pressa sa tête contre les barreaux et tendit l'oreille, à bout de souffle.

La réponse vint, lointaine, presque indistincte. Le visage grimaçant de désespoir d'Odbjœrn fit un suprême effort pour saisir ces paroles qui lui parlaient de liberté.

— Ulver, lui répondit-il, m'entends-tu?

L'obscurité murmura oui.

— Oui... oui... oui..., fit l'écho.

— Ecoute bien... ce... que... je... vais... te dire... maintenant. Une fois commencée la grande course saturnale, tu enlèveras la poutre qui ferme la porte Palatine. Puis tu prendras deux chevaux dans l'écurie des Rouges et tu iras m'attendre avec eux près du lac Sabatinus. As-tu compris? La porte Palatine..., la poutre qui ferme la porte Palatine.

Le garçon tendit l'oreille mais n'obtint aucune réponse.

— Ulver, cria-t-il.

— Ulver, répéta l'écho dans la nuit.

La veille de la course.

Vatia fit glisser son bracelet sur la grille et réveilla Odbjœrn. Ses joues étaient livides et ses yeux cernés.

— As-tu changé d'avis? demanda-t-il en s'approchant des barreaux.

Puis il recula d'un bond.

— Répète-le! cria-t-il.

— Oui, j'ai changé d'avis, murmura l'ombre. Je ferai la course, Vatia.

— Tu as raison..., tu as raison, Odbjœrn.

Vatia se redressa et se frotta les mains. Il fallait sortir le gaillard de son trou. Il fallait lui donner à manger. Vatia piétinait d'impatience.

— Un instant, et l'on t'ouvrira. Un instant, Odbjœrn.

Il se détourna pour partir, mais Odbjœrn le rappela :

— Et quand j'aurai fini la course...?

— Alors je serai obligé de t'enfermer de nouveau. (Vatia se tordait les mains, très ennuyé.) Mais plus confortablement, je te le promets. Que dis-tu? Combien de temps? Jusqu'au moment où il sera trop tard, mon garçon. Jusqu'au moment où tu ne pourras plus tenir ton étrange engagement, même si tu pars vers le nord.

— C'est tout ce que je voulais savoir, dit Odbjœrn.

— Bien, bien, soupira Vatia...

CHAPITRE XVII

LA course venait de commencer.
    Metellus Rutilius était en tête. Il était revenu à
Rome pour prendre sa revanche sur le Barbare, mais on
ne croyait plus en lui et les spectateurs le narguaient.

    La majeure partie du public avait misé sur le Cimbre
et l'encourageait sans cesse à prendre le commandement.
Le garçon n'entendait pas les hurlements qui déferlaient
du bout des gradins. Perdu dans ses pensées, il n'avançait

pas et restait en queue, peu désireux d'user ses chevaux avant la grande course qui, selon ses plans, devrait lui procurer sa liberté.

Les rênes dans ses mains étaient lisses de sueur et devant lui, tel un mur de bronze, se dressait la porte Palatine. Il hésita une fraction de seconde puis entama un dernier tour avant de courir le risque.

Si Ulver s'était trompé de porte — et le cirque en comptait quatre — il serait étendu sous peu sur le sable, le corps brisé, dans un chaos de morceaux de bois, de harnais entortillés et de chevaux morts.

Par contre, si Ulver avait bien enlevé la poutre extérieure, comme Odbjœrn le lui avait demandé du fond de sa prison, les vantaux s'ouvriraient à l'instant même où le timon les toucherait.

A cette intention, il avait fait allonger ce timon de deux aunes. Quand Vatia lui avait demandé la raison de ce caprice, le garçon s'était emporté et l'avait prié de ne pas se mêler de ce qui ne le regardait pas.

Odbjœrn entrait maintenant dans la courbe. Derrière les nuages de poussière soulevés par le passage des autres quadriges, il entrevoyait la porte à l'autre bout de la piste.

Le moment fatidique était venu. Que celle-ci fût fermée ou non, une chose était sûre : jamais plus il ne reverrait le cirque Maximus.

Il éloigna ses chevaux du mur au moment même où Metellus disparaissait derrière les bornes... Puis ce fut au tour de Thallus. Dioclès enfin entra dans la courbe...

Par vieille habitude, Capellus commença à obliquer vers la gauche.

QUAND LES FEUX BRULERONT

Odbjœrn leva son fouet et lui frappa la bouche. L'étalon s'écarta du tournant, entraînant le quadrige droit sur la porte. On aurait dit que c'était la porte elle-même qui accourait au-devant des chevaux. Dans un fracas épouvantable, les vantaux s'ouvrirent d'un seul coup et claquèrent contre le mur. Puis ils revinrent en arrière. L'un d'eux atteignit le char et le jeta brutalement contre le mur.

Ce fut seulement devant le temple d'Hercule qu'Odbjœrn retrouva son équilibre et reprit les rênes, juste à temps pour faire tourner ses chevaux au coin de la rue qui contournait le Palatin.

A la hauteur de la basilique, le quadrige fit un écart et accrocha une carriole chargée de légumes. Lorsque le garçon se retourna pour évaluer les dégâts qu'il avait causés, il s'aperçut qu'une section de la garde montée l'avait déjà pris en chasse.

Engagé sur la via Flaminia et laissant le Champ-de-Mars à sa gauche, il regarda de nouveau en arrière. Ses poursuivants gagnaient du terrain. Pas assez cependant pour qu'il ne pût espérer leur tenir tête jusqu'au lac où Ulver l'attendait avec un cheval frais.

Un peu avant de passer le Tibre, Odbjœrn usa du fouet pour prendre de la vitesse. Ce fut à cet instant qu'une roue du char se brisa. Le garçon n'eut que le temps de s'agripper au rebord de la caisse. La voiture fut traînée par l'attelage, bringuebalant d'un côté à l'autre. Le pont approchait et, avec le pont, son parapet contre lequel le char se briserait.

Le garçon rampa jusqu'au timon, sur lequel il se tint

en équilibre, et au moment précis où les chevaux s'enga-
geaient entre les deux murs de brique, il sauta sur le dos
de Capellus et se retourna. Ses poursuivants atteignaient
déjà l'autre bout du pont.

Odbjœrn entrevit la hampe d'un javelot et s'abrita
derrière l'étalon.

Le trait passa comme une ligne noire entre les têtes des
chevaux.

Le garçon saisit alors son couteau et entreprit de couper
le harnais. L'étalon bondit en avant.

Odbjœrn vit les rouans courir d'un côté de la route à
l'autre, regardant les gardes. Il fouetta Capellus.

Peu de temps après, il aperçut Ulver qui l'attendait
au sommet d'une colline en compagnie de trois autres
cavaliers.

Il passa devant eux à toute vitesse et leur cria de le
suivre. Quand ils l'eurent rattrapé, il changea rapidement
de monture.

— Mes deux gosses et Lurco veulent venir avec toi,
cria Ulver.

— C'est bien, hurla Odbjœrn. Allons-y.

Le chemin du retour commençait pour lui comme une
fuite. Et il n'était ni riche ni puissant.

CHAPITRE XVIII

LA ville d'Augusta Trevererum était située au confluent de la Sarre et de la Moselle. Fondée par
l'empereur Auguste, elle abritait le quartier général de
l'armée transalpine des Romains. Les routes militaires
en rayonnaient comme les fils d'une toile d'araignée
tendue sur l'ensemble du pays. C'était là que le filet
était noué, c'était de là que partaient les ordres aux
légions, répandues un peu partout dans la vaste Gaule.

QUAND LES FEUX BRULERONT

Une nuit de la trente-neuvième année du règne d'Auguste, trois hommes étaient assis dans la cabine d'un bateau amarré au port. C'était au commencement du mois de mars. Le printemps n'avait pas encore atteint cette région et la température était si basse que le souffle qui leur sortait de la bouche se tenait en l'air comme des flocons d'ouate.

Seuls, deux de ces hommes parlaient. C'étaient les plus âgés. Ils se détournaient à moitié du plus jeune, comme s'ils avaient voulu ignorer son existence. Et lui, loin de chercher à s'imposer, restait penché en avant, le dos rond, fixant d'un regard atone la flamme de la lampe à huile. La lumière dorée donnait un éclat rougeâtre à ses longs cheveux.

Ses deux compagnons parlaient de lui, ce qui apparemment ne le froissait pas. Mais, de temps en temps, ses doigts tambourinaient impatiemment sur la table, comme s'il avait eu hâte que cette conversation prît fin.

— Où les as-tu mis? demanda l'un des interlocuteurs qui portait une toge verte par-dessus une tunique jaune safran.

L'homme auquel il s'adressait était vêtu d'une cape de tissu grossier de la même couleur que les planches du bateau dont il semblait être propriétaire.

— Nous les avons enfermés dans la cale, répondit-il. Comme je l'ai dit il y a un instant, j'ai rencontré ce jeune homme sur le quai en compagnie de quatre gaillards chargés de chaînes. Ayant vu que mon bateau était à vendre, il voulait le troquer contre ses quatre esclaves. Je lui ai dit que je n'avais nullement besoin d'esclaves mais que j'allais faire venir le marchand de la ville. Il pourrait vendre ses esclaves, pour lui permettre de payer mon bateau, dont je demande six mille sesterces. Qu'en penses-tu, Milvius?

— Il ne vaut pas davantage.

Milvius jeta un regard autour de lui et fit la grimace.

— J'espère que les hommes sont dans un meilleur état que ton rafiot, sinon...

— Deux sont très jeunes — quinze ans, peut-être. Le troisième est en excellente santé. Le quatrième, par contre, est vieux et maigre.

Le marchand d'esclaves tourna légèrement la tête et s'adressa à Odbjœrn.

— J'entends que tu vends tes camarades, dit-il.

Le garçon tressaillit.

— J'ai moi-même été vendu par quelqu'un dont j'avais sauvé la vie, gronda-t-il. Le plus fort a le pouvoir de faire ce qu'il veut. C'est ce que la vie m'a appris.

Il ponctua cette affirmation par un vigoureux coup de poing sur la table.

Les deux vieux se regardèrent sans répondre.

— Soit, allons les voir, soupira Milvius en se levant.

Arrivé sur le pont, Odbjœrn saisit le marchand d'esclaves par le bras.

— Regarde, dit-il en montrant le ciel. Quand le croissant de la lune se sera éteint, il faudra que je sois rentré dans mon pays. Tu ne comprends donc pas que c'est pour cela que je vends mes amis.

Milvius retira son bras et se tourna vers le patron du bateau.

QUAND LES FEUX BRULERONT

— Comment ira-t-il plus loin sans équipage?

— C'est son affaire.

Ils s'arrêtèrent au milieu du pont. Le jeune homme se pencha pour ouvrir l'écoutille.

— Sont-ils bien enchaînés? s'inquiéta Milvius. Comment t'y es-tu pris?

— Cela n'a pas été difficile, expliqua Odbjœrn. J'ai d'abord initié deux d'entre eux à mon projet qui était de vendre les gosses pour me procurer l'argent du voyage. Ils m'ont aidé à les attacher. Ensuite, j'ai emmené l'un des deux autres derrière un entrepôt...

— C'est bon! cria le marchand d'esclaves. Fais-les sortir!

QUAND LES FEUX BRULERONT

Odbjœrn ouvrit l'écoutille.

— Venez, cria-t-il.

Milvius et le patron du bateau reculèrent de quelques pas lorsqu'ils virent émerger Ulver. Puis vinrent les deux jeunes garçons qu'il avait adoptés. Enfin Lurco.

— Nous réglerons les comptes à terre!

— Le bateau est à toi! crièrent ensemble les deux hommes en enjambant le plat-bord.

Quand les esclaves passèrent devant Odbjœrn, ils crachèrent tous quatre à terre pour marquer leur mépris.

Une fois seul, le garçon inspecta son navire.

Il n'était pas plus grand qu'un chaland de rivière. L'âge et un entretien défectueux avaient vieilli la charpente. Le jeune homme put avec ses doigts enlever des poignées de bois pourri du gaillard d'arrière. Quand il ouvrit l'écoutille, une puanteur douceâtre lui monta au nez.

Dans les flancs, entre les bancs de nage, il compta vingt trous d'aviron. Il trouva les rames sous le demi-pont de la poupe.

Puis il descendit à terre et longea le quai jusqu'au pont romain qui s'élevait au-dessus de la Moselle.

Du milieu de cet ouvrage, il regarda la ville. Comme des milliers d'yeux rouges, des lumières brillaient derrière les fenêtres et sous les fentes des portes.

De retour sur son bateau, il s'assit sur le panneau d'écoutille de la cale, et resta là un moment à tambouriner par terre avec les pieds. Puis il s'allongea. Mais, apercevant la lune, il se releva d'un bond en gémissant de désespoir. Une étrange agitation nerveuse le fit aller et venir sur le pont. De temps en temps il s'arrêtait et jetait un regard du côté de la terre. Puis il s'étendait de nouveau sur le panneau pour écouter le courant de la Moselle glisser le long du bateau avec un paisible murmure. Pourtant, lorsqu'il tournait la tête, la rivière immobile et brillante s'étendait comme un lac d'argent fondu entre les courbes molles des coteaux.

Il finit par s'endormir et ne s'éveilla qu'au moment où la lune, dans son dernier quartier, disparaissait derrière les hauteurs.

Au même instant une ombre noire franchit le plat-bord.

Odbjœrn se leva.

— Est-ce toi, Ulver?

— Tu attends donc des visites? hurla l'ombre, et elle accourut vers lui avec un rire un peu rauque.

Se précipitant à sa rencontre, Odbjœrn la serra dans ses bras.

— Bien, Ulver, jubila-t-il. Ramènes-tu les deux gosses?...

— Je te ramène les deux gosses et Lurco et...

— Et?

— Une bonne trentaine de rameurs!

Incapable de prononcer une parole tant la joie l'étouffait, Odbjœrn se jeta à nouveau dans les bras du vieux marin et sentit ses yeux se mouiller de larmes, les premières larmes de bonheur qu'il versait depuis qu'il avait quitté son pays.

Il dut faire effort pour se contenir.

— Allons, raconte-moi ce qui est arrivé, finit-il par demander.

— Les choses se sont passées comme il le fallait, grommela Ulver. Milvius ne s'est pas douté un seul instant que nos chaînes n'étaient pas fermées. Il nous a fait sortir de la ville et entrer dans l'amphithéâtre. Arrivé sur l'arène, il a sorti un trousseau de clés pour ouvrir une trappe au niveau du sol. J'ai entendu des murmures dans ce trou et j'ai compris aussitôt que cette prison regorgeait d'esclaves. Juste au moment où Milvius se retournait pour nous pousser dans ce cachot, j'ai lâché mes chaînes d'un seul coup. Lurco et les deux gosses ont fait de même... Le bonhomme ne s'y attendait guère. Nous l'avons ligoté comme un saucisson et jeté dans la trappe, puis nous avons libéré les esclaves pour te les amener...

Pendant deux jours, le courant les entraîna vers l'est. Ulver affirmait que tôt ou tard la Moselle les transporterait dans le Rhin.

Mais Odbjœrn finissait par se demander si la Moselle conduisait quelque part. Tantôt elle allait vers le nord, tantôt vers le sud, et serpentait paresseusement entre de vertes collines qui se ressemblaient toutes, à tel point qu'on pouvait les confondre.

Vers le troisième jour, ils arrivèrent à la hauteur d'une île qui coupait le fleuve en son milieu.

Ulver pensait qu'ils étaient maintenant tout près du confluent. Là, les Romains les arrêteraient pour vérifier si leur droit de passage leur donnait l'autorisation de longer les fortifications. Aussi fallait-il essayer de se glisser devant le fort en pleine nuit.

— Une fois que nous serons sur le Rhin, disait Ulver, rien ne nous empêchera de nous laisser porter par le courant et d'atteindre ainsi la mer germaine.

Le vieux Cimbre connaissait le pays pour y avoir déjà accompagné un envoyé de l'empereur.

— Il ne nous reste plus que trente jours avant le sacrifice du printemps, rappela Odbjœrn.

— Nous y serons, lui promit Ulver.

Son regard grave et scrutateur semblait traverser les montagnes et mesurer la distance qui séparait encore son ami de la maison de sa fiancée.

QUAND LES FEUX BRULERONT

Odbjœrn fit abriter le bateau derrière l'île et ordonna d'y attendre l'obscurité.

Quand le soleil se fut couché, la nuit tissa ses fils d'ombre sur la vallée et lentement ferma son rideau noir au-dessus du fleuve.

— Trouvez-moi une lampe, ordonna Odbjœrn.

Le garçon avait enlevé le panneau de l'écoutille. Ulver lui saisit le bras.

— Que veux-tu faire? Ne descends pas là, pria-t-il. C'est une troupe de bandits. Ils avaient été condamnés à mourir dans l'arène à cause de leurs méfaits.

— Les Romains punissent selon d'autres lois que les nôtres, répondit Odbjœrn.

Une fois entre les bancs de nage, Odbjœrn leva sa lampe et jeta un regard autour de lui. Ses hommes étaient allongés sur les rayons, les poignées des avirons entre les genoux ou sous l'aisselle.

Ils se levèrent avec une extrême lenteur. Leurs mouvements paresseux rappelaient l'allure sournoise des bêtes fauves.

Le garçon fut bien obligé de donner raison à Ulver. C'était un ramassis d'êtres en haillons, à la mine inquiétante, le corps entier rayé de cicatrices. Odbjœrn devinait les coups qu'ils avaient reçus, les souffrances qu'ils avaient endurées. Et il pensa que c'étaient ces souffrances qui avaient creusé de rides profondes leurs visages et rempli leurs cœurs d'humilité perfide ou d'amer défi.

— Ecoutez-moi, cria Odbjœrn. Nous sommes tout près du fort de Confluentes. Dans un instant je vais essayer de le dépasser. J'étais un esclave romain, et je me suis enfui. Etre pris signifierait la mort pour nous tous. Pour vous, c'est le moment de faire votre choix. Tout homme qui le désire sera débarqué. Moi, je m'en retourne dans mon pays, vers la fille que j'aime.

Odbjœrn les entendit haleter. On aurait dit que les esclaves commençaient seulement à respirer, à devenir vivants.

— Préfères-tu être débarrassé de nous? demanda l'un des galériens.

— J'ai besoin de vous aux avirons, mais je ne sais pas si je pourrai vous récompenser.

— Serons-nous enchaînés?

— Dans mon pays, on n'a pas l'habitude d'attacher des hommes libres aux bancs de nage, répondit-il.

Les esclaves se consultèrent longuement à voix basse. L'un d'eux finit par déclarer :

— Nous irons avec toi dans le pays dont tu parles.

Ulver accourut.

— Voilà..., nous y sommes, murmura-t-il d'une voix rauque. Remonte vite.

Le bateau glissait sans bruit vers l'embouchure.

Soudain, le vieux Cimbre leva la main et le garçon aperçut à son tour la silhouette du rempart couronné de tours qui surgissait droit devant le bateau et glissait lentement à tribord.

Le confluent était proche. Dans un instant le courant du Rhin s'emparerait du navire.

Odbjœrn voulut retourner auprès des galériens pour leur demander de se tenir prêts à agir. Avant même qu'il eût atteint l'écoutille, un grand cri s'éleva de la forteresse :

— Hé! là-bas..., tournez vers tribord et tenez votre navire au milieu du courant.

Le garçon perçut en même temps quelques bruits sourds suivis d'un grincement. Au même instant, il vit un bateau quitter la rive et reçut un choc en pleine poitrine. Il tomba à la renverse. Lorsqu'il se releva, il vit Ulver à quatre pattes sur le pont qui lui faisait signe de se baisser.

— C'est une catapulte, gronda le vieux marin. Elle tire du fort. Si je ne t'avais pas jeté à terre, la pierre t'emportait la tête.

Odbjœrn se retourna et vit que la charge avait endommagé le mât et arraché une partie du plat-bord.

— Qu'est-ce qu'on attend? cria Odbjœrn. Je vais leur ordonner de ramer.

Ulver lui serra fortement le bras.

— Attends! Seulement quand le Rhin aura fait tourner la proue, souffla-t-il entre ses dents.

Il restait penché en avant, comme s'il avait essayé d'entendre quelque chose dans la nuit.

— Ils approchent, gémit Odbjœrn.

— En ce cas, ils n'oseront plus se servir de leur catapulte. Tiens... Sens-tu le Rhin qui nous empoigne?

Le garçon sauta dans l'écoutille.

— Parez aux avirons! cria-t-il.

Les longues rames jaillirent des flancs du navire.

D'un coup de pied, Odbjœrn arracha une marche de l'escalier, prit ce morceau de bois et s'en servit pour battre la mesure contre un banc de nage. Il accéléra peu à peu la cadence et les avirons glissèrent de plus en plus vite au-dessus de l'eau.

— Maintenant, hurla-t-il, de toutes vos forces! Maintenant!

Il ne pouvait voir les rameurs mais l'obscurité pleine de râles, de gémissements et de craquements.

— Allez-y!... reprit-il. Allez-y! Un-deux, un-deux...

Il perdit toute notion du temps et ne reprit pratiquement conscience que lorsqu'il entendit résonner la voix d'Ulver annonçant :

— Arrêtez-vous! Ils n'ont plus le courage de nous poursuivre. Il a dû leur venir à l'esprit qu'au retour ils auraient le courant contre eux.

A l'aube, ils aperçurent deux îles en aval. On aurait dit deux chalands de rivière qui se seraient mis à l'ancre l'un à côté de l'autre au milieu du courant.

Ils accostèrent la plus grande et y passèrent la journée. A la tombée de la nuit seulement, ils continuèrent vers le nord.

CHAPITRE XIX

UNE nuit, ils passèrent devant le camp romain de
Vetera, où le Romain Serbulus avait vendu
Odbjœrn comme esclave.

Debout près du plat-bord, le jeune homme regardait
la ville. Malgré l'obscurité, il entrevoyait le quai du bac
et le contour sombre des maisons qui se blottissaient sous
les remparts comme des poussins autour d'une poule
couveuse. Il reconnaissait tout, et il en vint à penser à

Serbulus ; à Serbulus et au marchand d'esclaves Armilius.
Et à Thorkim... Comme toujours quand ses pensées
s'arrêtaient sur Thorkim, il eut l'impression que le
morceau d'ambre le brûlait sous sa tunique.

Il évoquait la nuit à Vetera où il s'était enfui à travers
les rues étroites, poursuivi par les hommes d'Armilius,
quand soudain il entendit un cri étouffé près de la proue.

Ulver venait d'apercevoir une dizaine de lanternes
dans la nuit. Ces lumières vacillantes ressemblaient à des
perles rouges tendues sur un fil invisible à travers le
fleuve.

Des navires de guerre romains, à l'ancre au nord de
Vetera, barraient la route à ceux qui voulaient rejoindre la
mer des Germains. Le dernier espoir d'Odbjœrn fut
brisé.

D'une nuit à l'autre il avait vu s'amincir la faucille
dorée de la lune, jusqu'au moment où il n'en resta plus
qu'une fine ligne courbe. Bientôt le ciel serait noir et vide.
Puis la lune se rallumerait, et chez lui on fêterait le printemps. Thorkim et ses hommes arriveraient sur la plaine
du ting. Quand le feu flamberait devant la statue de Frey,
on regarderait une dernière fois du côté des collines de
bruyère pour voir si lui, Odbjœrn, allait quand même
surgir à temps. Puis on rirait en secouant la tête et, dès
que le grand paysan Hugwa mettrait la main de sa fille
dans celle de Thorkim, lui, Odbjœrn, serait oublié.

— C'est inutile. J'y renonce, dit-il, à la fois fatigué
et découragé. Virez de bord !

Ils virèrent de bord et remontèrent le courant. Ulver
circulait sur la pointe des pieds en jetant des regards

furtifs vers le garçon qui était assis, tout affaissé, sur un rouleau de cordage.

Au sud de Vetera, ils rentrèrent dans la Ruhr et jetèrent l'ancre.

— En passant devant le port, j'ai vu une galère romaine à quai, murmura Ulver. Quand il fera noir, suggéra-t-il, nous pourrions retourner là-bas avec cinq hommes choisis parmi les plus sûrs, jeter les gardes par-dessus bord et nous emparer de ce navire.

Odbjœrn sauta sur ses pieds. L'idée n'était pas pour lui déplaire et il se voyait déjà arrivant chez Hugwa à bord de cette somptueuse trirème battant pavillon de l'empereur de Rome.

— Cela me paraît difficile. Mais le coup de main vaut la peine d'être tenté.

— Si j'ai ce navire, jura Ulver, par tous les dieux du ciel, je force le barrage et les Romains seront bien obligés de s'écarter.

— Tu penses qu'avec cinq hommes... ?

— Cela suffira. Tous les rameurs sont enchaînés à leurs bancs. A mon avis, il ne doit pas y avoir plus d'une demi-douzaine de gardes. Nous nous approcherons à la nage, sans bruit...

— Ulver, coupa le garçon, je te demande un délai de quelques heures. J'ai une petite visite à faire à un homme qui habite Vetera. Si je ne suis pas revenu à bord passé le milieu de la nuit, empare-toi de la galère romaine et pars sans m'attendre. Nous nous retrouverons sur la plaine du ting.

— Mais..., balbutia le vieux marin.

QUAND LES FEUX BRULERONT

— N'insiste pas, ordonna Odbjœrn. Cela ne servirait à rien. Me promets-tu de faire comme je te dis?

Ulver était pâle et mordillait sa lèvre inférieure.

— Comme tu voudras, finit-il par admettre. Avec toi ou sans toi, je prendrai la galère d'assaut. Ou je serai de retour avant le sacrifice du printemps, ou... — Ulver esquissa un large sourire... — je m'en irai avec le courant vers la mer germaine, aussi mort qu'un hareng noyé.

Odbjœrn se dévêtit et plaça sa tunique entre ses dents. Puis il se laissa glisser le long d'un filin et disparut sans bruit dans l'eau noire.

Ventgris! Le garçon ne l'avait jamais oublié. Bien des fois il avait regretté de l'avoir aussi stupidement perdu, et brusquement, alors que le désespoir étreignait son cœur, il avait décidé de tenter un suprême effort pour retrouver son ami des mauvais jours.

Odbjœrn sortit de l'eau, complètement épuisé, et s'assit quelques instants sur le sable de la berge pour reprendre son souffle. Puis il remit sa tunique et s'orienta.

La maison du passeur auquel, en compagnie de Serbulus, il avait laissé son cheval en gage se trouvait à l'extérieur des remparts, tout au bout d'un large remblai de terre qui s'avançait dans le fleuve. C'était un vaste hangar de bois attenant à un enclos fermé par une palissade de roseaux.

Le garçon rampa jusqu'à la clôture. « Savoir encore si ce maudit bonhomme aura gardé nos chevaux, pensa-t-il. Il y a déjà un an et Serbulus... »

Un chien aboya quelque part dans la nuit au moment

même où Odbjœrn, à l'aide de son poignard, achevait de percer la mince barrière de roseaux.

Il engagea sa tête dans le trou et d'abord n'en crut pas ses yeux.

Ventgris était bien là, mais dans quel état! Pour autant que la clarté de la lune lui permettait d'en juger, il s'aperçut avec tristesse que son noble coursier avait été réduit, tout comme lui, à la condition la plus servile. Il était maigre et, sur ses flancs creux, la trace des harnais qu'il avait portés le long des chemins de halage était encore visible. Par endroits, la chair était à vif.

Odbjœrn acheva de pénétrer dans l'enclos et s'approcha du cheval.

Celui-ci tressaillit, prit le vent et frappa le sol de ses sabots. Quand le garçon voulut le saisir par la crinière, comme il avait coutume de le faire, l'étalon lança une ruade et fit un saut en arrière. Puis il se mit à tourner en rond, s'approchant de plus en plus de son maître jusqu'au moment où il se cogna contre lui. Alors, tout à la joie des retrouvailles, il mordit le garçon à l'épaule si fortement que celui-ci ne put retenir un cri de douleur.

A cet instant, une lumière s'alluma dans la maison du passeur. Sans plus attendre, Odbjœrn sauta sur le dos de Ventgris.

L'étalon hennit, fit deux fois le tour de l'enclos au grand galop, puis, s'enlevant à la voix de son maître, franchit d'un seul bond la palissade.

Odbjœrn riait à gorge déployée. Il sentait entre ses jambes le corps musclé de son ami retrouvé, et pour l'instant cela suffisait à son bonheur.

QUAND LES FEUX BRULERONT

La nuit était déjà bien avancée. Si tout avait bien marché, Ulver devait déjà, à bord de la galère romaine, avoir franchi le barrage, et se laissait maintenant emporter par le Rhin vers la mer des Germains.

Dans quelques jours, si le sort leur était favorable, ils se retrouveraient tous deux sur la plaine du ting.

Car, avec Ventgris pour monture, Odbjœrn était sûr désormais de battre le printemps à la course.

Jour et nuit, Odbjœrn allait vers le nord. Les branches le cinglaient comme des coups de fouet, couvrant ses joues de grosses égratignures et mettant ses vêtements en lambeaux.

Et quand il n'y eut plus de forêts, vint le tour des marais et des plaines. Tantôt Ventgris pataugeait dans la vase, tantôt ses sabots claquaient sur un sol pierreux et en détachaient de la poussière.

Des marais et des prairies. Des collines et des pentes. Des fleuves et des ruisseaux et de plates étendues sans fin. Le même chemin qu'il avait fait en compagnie de Serbulus seize mois auparavant...

Pendant six jours et six nuits, il monta ainsi vers le pays des Cimbres. A l'approche de la nuit, il s'arrêtait et laissait Ventgris paître et se reposer, tandis qu'il essuyait l'écume qui couvrait ses flancs et murmurait à l'oreille de l'étalon que le lendemain serait le dernier jour de cet interminable voyage. Ventgris aurait alors le droit de goûter un repos complet. Plus jamais il ne subirait le même sort. Odbjœrn le promettait. Et Ventgris soufflait dans les herbes et poussait de gros soupirs.

QUAND LES FEUX BRULERONT

Mais le lendemain soir le paysage avait le même aspect que la veille. Et la nuit ressemblait à la nuit précédente.

Non, pas tout à fait.

Cette fois-ci, la lune avait disparu. Odbjœrn sauta sur Ventgris. Il n'avait même plus le temps de s'arrêter. Il sentit l'animal trembler et lui posa sa main sur le front...

... Il s'élançait vers le nord avec le printemps. Mais le printemps avançait moins vite que lui.

Un matin, Odbjœrn et Ventgris furent pris dans une tempête de neige qui les assaillit de biais. Les lourds flocons se posaient comme une cuirasse sur la poitrine du garçon et sur le poitrail du cheval.

Vers la fin de la matinée, la neige cessa de tomber et Odbjœrn put voir les premières herbes vertes émerger d'une bouillie grisâtre.

Quand l'empereur Auguste visitait les pays orientaux, on étendait sous ses pas des tapis précieux et des feuilles de palmier. Et voici que la nature déroulait le même cérémonial sous les pas du garçon qui rentrait dans son pays.

Odbjœrn éclata de rire. Il mit ses bras autour de l'encolure de Ventgris et enfouit son visage dans les poils rêches de sa crinière.

Puis, criant sa joie à gorge déployée, il s'élança sur la plaine.

Vers le soir, il arriva sur la colline, au sud du domaine.

Le rêve qu'il avait fait dans l'étroite prison des égouts de Rome devenait une réalité. Au loin, la halle de Hugwa semblait un taureau couché au milieu des herbages.

A la nuit tombante, il alluma un grand feu.

CHAPITRE XX

Tova! s'écria Odbjœrn en courant au-devant de l'esclave.

— Dès que j'ai vu le feu sur la colline, j'ai compris que tu étais de retour et je suis venue.

Le garçon s'accrocha au cou de la vieille femme et lui dévora le front de baisers.

Puis Tova écarta le jeune homme pour mieux le regarder, comme s'il avait été le revenant d'un autre monde. Elle aperçut d'abord l'étrange costume que portait le voyageur : la tunique en lambeaux et les sandales crasseuses, au cuir pourri. Puis elle jeta un regard autour de lui, comme si elle avait espéré d'autres hommes derrière la colline.

En fait d'escorte, elle ne vit qu'un cheval ébouriffé et couvert d'écume. Elle essaya, sans grand succès, de cacher sa déception.

— Cela n'a donc pas marché pour toi, murmura-t-elle. Odbjœrn rit aux éclats.

— Je vois à ton visage triste que mes hommes ne sont pas encore arrivés. Mais ils vont arriver d'un moment à l'autre. Quatre-vingts, cent..., davantage peut-être, sur un immense navire dix fois plus grand que celui de Thorkim.

Tova détourna la tête.

— Tu ne me crois pas, s'écria Odbjœrn.

— Je crains seulement que tes hommes n'arrivent trop tard.

— Tova, gémit le garçon, ne me dis pas que Groa et Thorkim...

— Non..., non. Pas encore. Groa est en train de confectionner son costume de mariée. Mais je puis t'assurer qu'elle a du mal à enfiler son aiguille... La vérité est que Thorkim a près de quarante hommes armés... et que personne n'a encore vu trace des tiens... Groa n'ose plus espérer te revoir.

— Mais me voici, Tova. Tu ne me crois pas! Tu me caches quelque chose!

La vieille esclave leva les yeux.

— Il y a un fait que tu oublies, dit-elle doucement.

QUAND LES FEUX BRULERONT

— Quoi donc?

— Le temps, Odbjœrn.

Tova poussa un gros soupir.

— Demain, quand le soleil se couchera, nous célébrerons le sacrifice du printemps sur la plaine du ting...

Le lendemain, Tova s'éveilla avant l'aube et écouta Odbjœrn se tourner et se retourner dans le foin. Puis il se leva et fit sortir Ventgris de la hutte.

Tout était donc comme autrefois, avant son départ. De nouveau il attendait Ulver et Ulver ne venait toujours pas.

Odbjœrn longea le rivage.

Les crêtes écumantes des vagues sortaient de l'ombre et venaient se briser sur les fanons de Ventgris.

Le garçon retint son cheval et tendit l'oreille. Une mouette cria quelque part dans la nuit, lui faisant croire un instant à un appel venu du large. Puis il regagna sa hutte, la tête basse.

La rumeur du retour d'Odbjœrn s'était répandue avec la rapidité de l'éclair. Des esclaves et d'autres curieux vinrent rôder autour de sa cabane dans l'espoir de l'entrevoir.

Le garçon était monté dans le fenil. Il y resta toute la journée près d'un trou creusé par ses soins, scrutant la mer.

Mais la mer s'étendait vide et déserte jusqu'au ciel. Et il avait beau la regarder à en avoir mal aux yeux, il ne voyait aucun navire monter de l'horizon.

QUAND LES FEUX BRULERONT

Les jambes en cerceau, le vieil Aslak arriva, tout essoufflé.

— Voici qu'ils préparent les feux sur les collines qui entourent la plaine du ting, annonça-t-il de sa voix glapissante.

Odbjœrn lui demanda d'aller au domaine avec Ketil et de venir lui raconter ce qui s'y passait.

— Quand les gens se réuniront pour le sacrifice, je m'y rendrai comme il a été convenu, ajouta-t-il. Les dieux savent pourtant que je préférerais partir dès la tombée de la nuit, pour ne plus jamais revenir.

En entendant ces paroles, Tova gémit.

Odbjœrn se détourna et regarda de nouveau la mer. Le vent frais qui soufflait par le trou qu'il avait ouvert dans le mur lui fit monter des larmes aux yeux. Ketil arriva au même instant.

— Quoi de nouveau? demanda le garçon.

— Thorkim sort de chez lui avec ses hommes, murmura le vieillard. Et les gens sont en train de se réunir sur la plaine du ting. Et Hugwa et...

Il se tut soudain. Du bois sacré leur venait le son des cors.

Aslak et Ketil s'approchèrent de la porte et se bousculèrent pour sortir.

— Voici qu'on allume les feux, cria Aslak.

Il le savait. Odbjœrn pourrait même voir par la porte entrouverte la lueur rougeoyante s'élancer dans le ciel du crépuscule.

— L'heure est venue, mon garçon, gémit Tova en se mouchant dans sa jupe.

QUAND LES FEUX BRULERONT

— Oui, dit-il. L'heure est venue.

— Odbjœrn, risqua la vieille esclave, tu connais Gyrd, la fille d'Asulf.

— Oui, je connais la fille d'Asulf.

— Un jour, pendant ton absence, Gyrd est montée ici me demander si j'avais de tes nouvelles.

— Ne te donne pas tant de peine, Tova.

Il fit sortir Ventgris de la cabane. Arrivé près de la porte, il s'arrêta et se retourna.

— Groa n'est-elle jamais venue demander de mes nouvelles ?

La vieille esclave se tut.

— Je t'ai posé une question, Tova.

QUAND LES FEUX BRULERONT

— Groa est venue à peu près tous les jours me parler de toi, répondit la vieille à voix basse.

Une fois dehors, Odbjœrn vit Ketil et Aslak qui se blottissaient contre le mur. Ils avaient mis leur cotte de mailles et ceint leurs hanches maigres d'une épée. Et ils avaient dû beaucoup rapetisser ces temps derniers, car les cottes de mailles rouillées leur tombaient sur les jambes comme de longues jupes de femme.

Sous le regard pénétrant d'Odbjœrn, ils semblaient rapetisser encore.

— Vous resterez ici, dit Odbjœrn. N'ayez pas l'audace de vous montrer ainsi face aux guerriers de Thorkim.

Le garçon descendit lentement vers le temple.

Ce soir-là, on aurait dit que les arbres, les coteaux, le ciel tout entier étaient rougis par du sang. Les feux se touchaient. La plaine et le bois sacré s'étendaient à l'intérieur de cette couronne de feu comme au centre d'une roue solaire.

A mi-hauteur de la pente, Odbjœrn arrêta son cheval et jeta un dernier regard vers la mer. Mais l'obscurité se dressait comme un mur, derrière les dunes, et il ne put rien voir.

« Demain matin, dès l'aube, pensa-t-il, je repartirai vers le sud. »

En le voyant apparaître, les gens assemblés faillirent perdre le souffle. Le bruissement des voix s'éteignit. Et dans le silence oppressant qui suivit, on entendit crépiter les feux.

— Est-ce toi, Odbjœrn? dit une voix.

Odbjœrn sursauta. Le grand paysan avait dirigé son

cheval vers la couronne de pierre qui coiffait la statue de la déesse...

Le garçon ressentit comme un coup de couteau à travers le cœur lorsqu'il vit, à côté du prêtre Witulf, la claire silhouette de Groa.

Il eut du mal à entendre ce que disait le grand paysan.

— Je te demande, en raison de l'engagement que tu as pris, si tu peux présenter un plus grand nombre de guerriers qu'en a amené ici Thorkim, cria Hugwa.

Thorkim s'était arrêté un peu plus loin sur la plaine. Il y avait au moins quarante hommes dans son escorte, tous à cheval et en rangs derrière lui. Le jeune homme n'avait pas, comme tous les autres, les yeux fixés sur Odbjœrn. Il restait droit et immobile, le regard dirigé sur le bois sacré.

— Réponds-moi, cria le grand paysan.

— Ils sont en route, gronda Odbjœrn, exaspéré. Ils...

Le garçon ne savait pas comment ces paroles avaient pu sortir de sa bouche. Peut-être parce qu'il s'attendait à voir un espoir s'allumer dans les yeux de Groa.

— Ils sont en route, bégaya-t-il à nouveau. Ils arrivent.

Hugwa passa la main sur son visage, comme pour effacer de sa barbe un léger ricanement. Il attendit un instant, donnant aux gens le temps de rire. Puis il se redressa sur sa selle.

— Comme vous le savez tous, j'ai promis de fiancer Groa cette nuit à celui qui se présenterait ici même avec le plus grand nombre d'hommes, cria-t-il d'une voix forte. Vous tous qui êtes rassemblés, vous êtes témoins que c'est bien Thorkim qui a gagné.

Une vibrante acclamation sortit de la foule et confirma ces paroles.

Hugwa fit signe au prêtre. Une langue de feu se tordit au centre du bûcher et les flammes crépitantes montèrent sous les arbres du bois sacré, baignant de lueurs la statue de Frey et sa couronne de pierre.

Les spectateurs saluèrent le printemps .par une clameur vibrante et, tirant leurs épées, se mirent à frapper leurs boucliers pour manifester leur joie.

— Thorkim, cria Hugwa. Thorkim, fils de Hammund!

Sans le savoir, Odbjœrn avait dit vrai.

Ils arrivaient... Non pas les trente rameurs qu'Ulver avait fait sortir des prisons de Trèves, mais une bonne centaine d'hommes, une bonne partie de l'équipage de la galère romaine que le vieux Cimbre avait prise par surprise comme il l'avait promis à Odbjœrn.

Ulver appuya de tout son poids contre l'aviron de gouverne. Il y avait déjà longtemps qu'il voyait luire les feux du sacrifice et se dirigeait droit sur eux, comme sur un phare. Près du dernier banc de sable, il ordonna aux rameurs de s'arrêter et jeta un coup d'œil en arrière, guettant la vague qui porterait la trirème jusqu'au rivage.

Couchés sur les dunes, Ketil et Aslak regardaient la mer. Ils virent soudain la proue d'un gigantesque navire surgir de la nuit, franchir à toute allure le ressac dans un grand nuage d'écume qui jaillit de la proue comme les ailes blanches d'un cygne.

Odbjœrn serra les dents et dut faire effort pour ne pas

Ils arrivaient... Une bonne centaine d'hommes...

tourner bride. Les battements de son cœur lui causaient dans sa poitrine une douleur lancinante. Il aurait donné mille fois plus qu'il ne possédait pour ne pas voir ce qui se passait là-bas, au pied de la déesse.

Le grand paysan Hugwa avait mis la main de Groa dans celle de Thorkim. Maintenant, le prêtre Witulf s'approchait de la statue et tendait à la jeune fille une coupe de blé.

Mais Groa refusa de la prendre. Elle secoua la tête, de sorte que ses cheveux ondoyèrent sur ses épaules comme des flots d'ambre liquide. Puis elle posa sa main sur le bras de Thorkim, se pencha vers lui et lui murmura quelque chose. Le jeune homme inclina la tête, fit tourner son cheval et s'éloigna de la jeune fille.

Odbjœrn sursauta lorsqu'il vit Thorkim s'avancer vers lui. Que lui voulait-il?

Ce que voulait Thorkim? Il semblait lui-même l'ignorer. Il arrêta son cheval en tirant si fort sur les rênes que l'animal se cabra.

— Odbjœrn, dit-il, et il regarda fixement les oreilles de sa monture, comme s'il n'avait jamais rien vu de si extraordinaire que ces deux organes en forme de cornets. Odbjœrn..., reprit-il, cela me fait plaisir de te voir de retour.

Le garçon fronça les sourcils.

« Voilà des paroles bien étranges dans la bouche de Thorkim », pensa-t-il.

— Je n'ai pas eu une heure de paix depuis ton départ, ajouta le fils d'Hammund.

Odbjœrn, sous sa cape, sentit le morceau d'ambre lui

brûler la peau. Il était sur le point de le lancer à la figure de son rival. Une rage folle empourprait ses joues. Quelque chose battait furieusement derrière ses tempes.

— Est-ce seulement parce que tu veux réparer tes torts? demanda-t-il.

Thorkim leva la tête et le regarda en face.

— Non, ami, mais je ne vois aucune joie dans les yeux de Groa. J'ai eu beau acquérir gloire et richesse pendant que toi, Odbjœrn, tu ne grandissais nullement aux yeux des hommes..., Groa ne nourrit de sentiments que pour toi, pour toi et pour personne d'autre. Prends-la, Odbjœrn. Je te la donne.

Une joie délirante inonda le cœur du garçon.

— Que va dire Hugwa de l'échange? s'inquiéta-t-il soudain.

— Mes hommes et moi formerons une garde autour de votre bonheur. Le vieux n'aura pas grand-chose à dire.

Thorkim était pâle, mais Thorkim riait.

— Eh bien, Odbjœrn, je te fais cadeau d'une fiancée. Ne pourrais-tu m'offrir ton amitié en retour?

Odbjœrn se tourna vers lui et le regarda droit dans les yeux.

— Tiens, dit-il, prends ceci comme gage.

Il tendit le morceau d'ambre.

— Non, s'écria Thorkim en reculant. Je ne veux plus le voir.

— Alors offrons-le aux dieux, afin que plus jamais il ne sème la discorde entre nous.

Odbjœrn descendit lentement vers la statue de Frey.

QUAND LES FEUX BRULERONT

A cet instant, une vague d'agitation s'empara de la foule. De nombreuses exclamations fusèrent.

— Voyez là..., en haut de la colline.

Un, deux, trois, dix, vingt guerriers surgissaient les uns après les autres. Et il en apparaissait toujours davantage. Ce ne fut plus bientôt une escorte, mais une véritable petite armée qui descendait lentement vers la plaine du ting. Un homme maigre, au dos rond, marchait en tête.

Odbjœrn n'avait d'yeux que pour Groa.

La jeune fille descendit de cheval et vint au-devant de lui. Elle effaça du doigt quelque chose sur sa joue et rejeta la tête en arrière, faisant danser ses boucles sur ses épaules. Et elle riait, Groa. Ses dents étaient blanches comme des coquillages...

Odbjœrn savait maintenant que ce qui valait la peine d'être possédé ne pouvait s'acheter ni par les sesterces ni par les bijoux. Vaine aussi était la puissance qui gisait dans l'épée. Une douce brise passa sur la plaine du ting. Un léger souffle chargé d'un parfum de fleurs, d'une odeur de foin coupé. Non, à vrai dire, il n'était chargé de rien. Mais sa tiédeur annonçait l'approche de toutes ces choses.

Le printemps était là. Le printemps qu'Odbjœrn avait rattrapé et dépassé en pays saxon.

Ce livre
QUAND LES FEUX
BRULERONT
de Poul Knudsen
illustré par
Michel Gourlier
est le soixante-septième
de la
COLLECTION
SPIRALE

★

Il a été imprimé
par Offset-Color
à Paris

Dépôt légal n° 996 - 3ᵉ trimestre 1962   Janvier 1963